技術と表現を磨く！

魅せる 新体操
上達のポイント50 改訂版

日本女子体育大学新体操部部長 橋爪みすず 監修

はじめに

　五輪競技でもある新体操は、本番の演技だけを見れば華やかで女子の「あこがれのスポーツ」だとよく言われます。
　しかし、現実は、日々の練習はかなり地味な繰り返しであり、それも、今の新体操では求められるものが多いため、「ならいごと」として楽しむだけならともかく、競技を志すとなるとかなり練習量も多くなります。
　はじめのうちは、できなかったことができるようになる喜びも多いでしょう。人並み以上の柔軟性を求めることや、マジックのような手具操作をマスターすることも、だんだんできるようになる喜びがあるから、頑張れると思います。
　ところが、ある程度技術がついてきて、試合に出るようになると、練習に費やした時間のわりには結果が出ない、という時期がやってきます。そして、「なぜ点数が出ないのかわからない」→「何をどう頑張ればいいのかわからない」となってしまい、モチベーションが下がってしまう選手は少なくありません。
　部活の先生やクラブのコーチなど、指導者に恵まれていれば、成長過程に応じた適切なアドバイスを与えてもらえるでしょう。しかし、指導がいき届かない環境であっても、新体操が好きで頑張ろうとしている人もいると思います。

　新体操が大好きで、「もっとうまくなりたい！」という思いをもちながら、どこを直せばよいのか、どこを伸ばせばよいのかがわからなくなっている。そんな人にとってこの本が少しでも助けになれば幸いです。

新体操のルールについて

　新体操のルールは4年に1度、オリンピックの翌年に改正されます。しかし、新型コロナの感染拡大により2020年に開催予定だった東京五輪が1年延期になったため、ルール改正も1年ずれ込み、2022年からの適用となりました。本書は、初版では2017年ルールに則っていましたが、今回、「2022-2024ルール」版として改訂を行いました。

　「2022-2024ルール」では、難度（D）は、身体難度（DB）、手具難度（DA）、回転を伴ったダイナミック要素（R）の3つの要素からなり、加点法で採点されます。演技中に入れられる難度の数には上限が定められていますが、D得点の上限はありません。芸術（A）と実施（E）はそれぞれ10点満点からの減点法で採点し、D＋A＋Eが演技の得点となります。

　本書のPart2以降は、実施減点やトレーニング方法、手具操作の基本など、ルール改正に左右されない普遍的な内容となっていますが、Part1は新しいルールに対応して変更した部分がかなりあります。また、「2022-2024ルール」についての解説が各章末のコラムと巻末にありますので、こちらも参考にしてもらえればと思います。

本書の使い方

この章の目指すところ

この項目において意識すること、心がけたいこと

ポイントの概要を説明

より上達するためのヒント
あれば参照ページなども記載

連続写真や良い見本、
悪い見本など
目で見てわかりやすい

このポイントで
扱っている内容

身体難度（DB）

扱っている技（技術）
の名前

例① バランス＋フープの操作

バランスの形を明確にして止まる。
フープははっきり回す。

側方支持のバランスを実施している時に、フープを手の中でくるりと1回転させる。(価値点 0.3)

バランスの形が正しく、十分に静止しながら、はっきり見えるように手具を操作しなければならない。

Check 1 180度以上開脚し、しっかり静止しているか

Check 2 かかとは十分に上がっているか

Check 3 フープの軸回しは1回転しているか

やり方や意識するべき
こと

できないときはここを
チェック！

例② ジャンプ＋ロープの操作

自分の腰よりも上まで跳ぶ。

鹿ジャンプをしながら、ロープを飛び越える。（価値点 0.2 ）

ジャンプ中のフォームが正しいこと、高さがあることが求められ、飛び越しはできても引っかかりがあれば実施で減点される。

Check 1 前足のひきつけ、後ろ足の高さは十分か

Check 2 ジャンプの高さはあるか（腰より上の高さ）

Check 3 引っかかりなく身体全体がロープをくぐりぬけているか

例③ ローテーション＋リボンの操作

かかとを上げたまま回る

パッセで1回転のローテーションをしながら、リボンでらせんを描く。（価値点 0.1）

正面から脚で作った三角が見える正しい形のパッセでかかとを上げたまましっかり360度回ること、リボンの小円の数に不足がないことが必要となる。

Check 1 パッセの形は保たれているか（膝が前にこないように）

Check 2 パッセの形ができてから360度回っているか

Check 3 リボンのらせんは小円が4〜5つ見えているか

! バランスは、かかとをおろして実施すると価値点が0.1下がる。もともと0.1しか価値点のない難度（パッセバランスなど）の場合は0点になってしまう。

ありがちなミスなど、
注意すべきこと
あれば参照ページ
なども記載

目 次

- ●はじめに
- ●新体操のルールについて
- ●本書の使い方

Part 1 点数のとりこぼしをへらそう！

新体操の難度はどう採点されているのか。どうすれば難度は
カウントされるのかを理解し、点数をとりこぼさないようにしよう。

ポイント1	身体難度(DB)をカウントしてもらうことを意識する	10
ポイント2	カウントされるバランスをマスターしよう！	12
ポイント3	「ジャンプ」は、フォームと高さに注意してしっかり跳ぼう	14
ポイント4	「ローテーション」は、形が決まってから回り始め、360度は粘って回ろう	16
ポイント5	リズミカルで表現力のある「ダンスステップコンビネーション」を目指そう！	18
ポイント6	「回転を伴う投げ受け」は、中断せずスムーズに実施しよう！	20
ポイント7	練習を積んで手具難度をマスターし、得点を積み重ねていこう！	22
ポイント8	5手具それぞれに必須の基礎手具技術を完璧にマスターしよう！	24
ポイント9	正確な「回し」「転がし」が基本！〜フープの基礎技術	26
ポイント10	繊細で柔らかい「キャッチ」「転がし」が醍醐味！〜ボールの基礎技術	28
ポイント11	自由自在に回すための基礎をマスターしよう！〜クラブの基礎技術	30
ポイント12	美しい軌跡を描くためには力強い「描き」が必須！〜リボンの基礎技術	32
ポイント13	常に張りをもたせて操作しよう！〜ロープの基礎技術	34

コラム1　2022-2024ルールのポイント①　36

Part 2 実施での減点をへらそう！

難度で点数を稼いでも、実施が減点だらけでは得点は伸びない。
よくある減点ポイントを知り、減点されない対策をしよう。

ポイント14	「立っているだけで減点」と言われる姿勢欠点をなくそう！	38
ポイント15	演技全体の質に関わる脚のラインの欠点をなくそう！	40
ポイント16	「落とさなければいい」ではなく手具操作の正確性をアップしよう！	42
ポイント17	投げが失敗しても落下を防ぐ賢い対処法を身につて大減点をなくす	44
ポイント18	「ほんの一歩」が命取り！　無駄な移動を意識してなくして減点をへらす！	46
ポイント19	なにが「芸術的欠点」になるのかをまず知り、意識しよう！	48

コラム2　2022-2024ルールのポイント②　50

※本書は2017年発行の『技術と表現を磨く！魅せる新体操　上達のポイント50』を元に、一部内容の更新・変更と、必要な修正を行い新たに発行したものです。

Part 3　ワンランク上の点数を得るためのトレーニング

「難度がカウントされる」＋「実施減点が少ない」＝点数アップ、
を実現するために取り入れたいトレーニング

ポイント20	骨盤をまっすぐにした正しいトレーニングで開脚度をアップする！ …… 52
ポイント21	無理はせず段階的・継続的なトレーニングで「反れる身体」を手に入れる！ … 54
ポイント22	跳躍力をつけるトレーニングは即効性を求めず地道に続ける …………… 56
ポイント23	体幹トレーニングで回転に強く、ぶれない軸のある体を作ろう！ ……… 58
ポイント24	ゲーム感覚のトレーニングを取り入れて、コーディネーション能力を磨く … 60
ポイント25	意外に難しい「まっすぐな立ち姿」をトレーニングで手に入れる！ ……… 62
ポイント26	地道なトレーニングで「伸びるつま先」と「高いかかと」を手に入れよう！ … 64
ポイント27	アン・ドゥオールを意識して、膝の入った美しい脚のラインを作ろう！ … 66
ポイント28	アイソレーションを取り入れて、なめらかな動きを手に入れる ………… 68
ポイント29	普段の生活の中でできるトレーニングを実践しよう！ …………………… 70

コラム3　2022-2024ルールのポイント③ ……………………………………………… 72

Part 4　正確な基礎を身につける！

「より高度な演技をするため」にも「実施減点をへらすため」にも、
欠かせない手具操作の基礎を徹底解説。

ポイント30	正しくフープを持ち、正しく回せるようになる！ ………………………… 74
ポイント31	バリエーション豊富なフープの投げ受けを得意にしよう！ ……………… 76
ポイント32	「ボールは絶対につかまない！」を心して操作しよう ……………………… 78
ポイント33	柔らかく誘い込むキャッチをマスターすれば、どんな投げ受けも怖くない！ … 80
ポイント34	クラブは握りしめず、手の中で自在に回るようにしよう！ ……………… 82
ポイント35	変化のつけやすいクラブの投げ受けは、いろんなパターンに挑戦しよう！ … 84
ポイント36	スティックは必ず端を持ち、常に肘を伸ばして操作する ………………… 86
ポイント37	円運動を利用して、リボンを大きく投げ上げよう！ ……………………… 88
ポイント38	ロープの基本「張り」と「端をもつ」を常に意識して操作しよう ………… 90
ポイント39	ロープの特性を生かした投げ方を工夫してみよう！ ……………………… 92

コラム4　2022-2024ルールのポイント④ ……………………………………………… 94

Part 5　演技の芸術性を高めるためにできること

「芸術性の高い演技」をするために、具体的に何をすればよいのか。
どこに気をつけて演技すればよいのかを考える。

- ポイント40　なぜ「芸術性」が求められるのか。「芸術性」とはなにか理解しよう ……… 96
- ポイント41　曲の意味を理解し、感情をのせた表現をする …………………………… 98
- ポイント42　音楽をきちんと意識してアクセントをはずさない演技をしよう ……… 100
- ポイント43　大きさ、スケール感を表現できるように演技する ……………………… 102
- ポイント44　体、顔、動きすべてを使って、感情や情景、物語を表現する ………… 104
- ポイント45　感情が伝わる！　顔の表情のトレーニングをしよう …………………… 106
- ポイント46　「表現力が乏しい」と感じたら、感情を動かすトレーニングをしよう … 108
- コラム5　2022-2024ルールのポイント⑤ ………………………………………………… 110

Part 6　本番の1本で力を発揮するためにできること

「練習でどんなに成功していても本場では失敗してしまう」
そんな自分を変えるために考え方と行動を変える。

- ポイント47　「本番で緊張しすぎるのはなぜか」を客観的に理解しよう …………… 112
- ポイント48　「いつも通り」の精神状態を保つためのルーティンを決めておこう！ … 114
- ポイント49　ミスが起きてしまったときの気持ちの切り替え方を覚えよう ………… 116
- ポイント50　「新体操をやっていることが嬉しい、楽しい」という気持ちを忘れない 118
- コラム6　新体操は、続けることに価値がある！ ……………………………………… 120

●付録「2022－2024ルールでは何が重視されるのか？」………………………………… 122
●おわりに「あなたの上達を支えるサポーターを見つけよう」………………………… 126

本書は、2021年12月15日版の採点規則に則っています。変更、追加などの情報は日本体操協会公式サイトにてご確認ください。

Part 1

点数のとりこぼしをへらそう！

2022年から適用されるルールでは、
A（芸術）とE（実施）はそれぞれ10点満点からの減点法、
D（難度）だけが加点法で採点される。
ただし、Dは行っただけではカウントされず、
一定の条件を満たしてはじめて得点になる。
まず、何がDとして採点されるのか、
どうすればDの点数はカウントされるのかを理解し、
点数をとりこぼさないようにしよう。

点数のとりこぼしをへらそう！

ポイント1 身体難度（DB）をカウントしてもらうことを意識する

身体難度中に手具操作が伴わないと難度がカウントされないので注意！

　新体操の個人演技には、最低でも3つの身体難度（DB）を入れなければならない。身体難度には「ジャンプ」「バランス」「ローテーション」の3種類があり、それぞれ1つは入れる必要がある。

　自分では、3つの身体難度を入れているつもりでも、その実施の仕方によっては審判にカウントしてもらえない（＝難度がとれない）場合がある。まったく同じ内容の演技を見た目は同じノーミスで行ったとしても点数に差がつくのは、この身体難度がカウントされているかどうかによることが多い。

ここがポイント！

身体難度自体はきちんとできていても、手具操作がともなっていなければ難度はカウントされない。身体難度だけに気をとられず、手具の操作も正しくやりきることを意識しよう。（⇒ポイント9〜13を参照）

身体難度（DB）

バランスの形を明確にして止まる。　フープははっきり回す。

例①　バランス＋フープの操作

側方支持のバランスを実施している時に、フープを手の中でくるりと1回転させる。（価値点 0.3）
バランスの形が正しく、十分に静止しながら、はっきり見えるように手具を操作しなければならない。

Check1 180度以上開脚し、しっかり静止しているか

Check2 かかとは十分に上がっているか

Check3 フープの軸回しは1回転しているか

自分の腰よりも上まで跳ぶ。

例②　ジャンプ＋ロープの操作

鹿ジャンプをしながら、ロープを飛び越える。（価値点 0.2）
ジャンプ中のフォームが正しいこと、高さがあることが求められ、飛び越しはできても引っかかりがあれば実施で減点される。

Check1 前足のひきつけ、後ろ足の高さは十分か

Check2 ジャンプの高さはあるか（腰より上の高さ）

Check3 引っかかりなく身体全体がロープをくぐりぬけているか

かかとを上げたまま回る

例③　ローテーション＋リボンの操作

パッセで1回転のローテーションをしながら、リボンでらせんを描く。（価値点 0.1）
正面から脚で作った三角が見える正しい形のパッセでかかとを上げたまましっかり360度回ること、リボンの小円の数に不足がないことが必要となる。

Check1 パッセの形は保たれているか（膝が前にこないように）

Check2 パッセの形ができてから360度回っているか

Check3 リボンのらせんは小円が4～5つ見えているか

> ❗ バランスは、かかとをおろして実施すると価値点が0.1下がる。もともと0.1しか価値点のない難度（パッセバランスなど）の場合は0点になってしまう。

点数のとりこぼしをへらそう！

ポイント2 カウントされるバランスをマスターしよう！

180度以上の開脚が必要

かかとは高く上げる

　バランスには3種類あり、1つ目は「足によるバランス」でこれがもっとも多用されているものだ。2つ目は、「足以外の部位によるバランス」で、膝・腹・胸などを床につけて行うバランスを指す。3つ目は「ダイナミックバランス」という動きのあるバランスで、よく使われる波動、甲立ち、フェッテバランスなどもこれにあたる。

　3つのバランスの中で、「ダイナミックバランス」だけは必ずしも静止ではなくアクセントがあれば難度はカウントされるが、ほかの2種類のバランスは、難度表にある条件を満たした形での静止が明確でないと難度はカウントされない。

ここがポイント！

バランスの形が明確で静止はしていても、ルルベ（かかとを上げる）の高さが十分でなければ価値点が1ランク下でカウントされてしまう。もとの価値点が0.1のパッセバランスなどは0点になってしまうので注意したい。

バランス

顔はしっかり上げて正面を向こう。

例① パッセバランス（価値点0.1）

基本中の基本のバランス。簡単そうに見えるが正面からきちんとパッセの形が見えるようにきちんと股関節を開いて実施することが必要。膝が前に倒れてこないように注意しよう。

Check1 上げたほうの脚をパッセの形にする

Check2 ルルベの高さは十分か

Check3 ルルベの状態できちんと静止できているか

より美しく見える側面を審判側に向ける。

例② 手による支持有の前バランス（価値点0.3）

身体の前に脚を上げ、上げた脚を手で支持して180度開脚を見せるバランス。ベーシックなバランスだが、骨盤がずれやすく、そのずれも目立ちやすいので正しい形で行うことを意識して練習しよう。

Check1 180度以上開脚した形が明確に見えているか

Check2 ルルベの高さは十分か

Check3 ルルベの状態できちんと静止できているか

上体が低くなりすぎないようにキープ！

例③ 手による支持無のパンシェバランス（価値点0.5）

十分な開脚度がないとカウントされないのでかなりの柔軟性とコントロール力が必要だが、両手が空くので手具操作は行いやすいのでマスターしたいバランス。上げた脚が外側に流れないよう注意。

Check1 180度以上開脚した形が明確に見えているか

Check2 ルルベは十分に上がっているか（ここではかかとを上げずに実施しているので価値点は0.1下がる）

Check3 開脚した形できちんと静止できているか

！ バランスの難度はカウントされても、「骨盤のずれ」「軸足の曲がり」「つま先のゆるみ」などがあると実施の点数が引かれる。（⇒ Part2「実施減点をへらそう！」を参照）

点数のとりこぼしをへらそう！

ポイント3 「ジャンプ」は、フォームと高さに注意してしっかり跳ぼう

空中で180度の開脚をはっきり見せる！

後屈も加われば価値点がアップ！

　ジャンプの難度がカウントされるためには、「空中で形が固定していて明確であること」「十分な高さに上がった位置でジャンプの形が見えること」が必要とされる。

　大ジャンプの場合、前脚、後脚が順番に上がるのでは、それぞれの脚は十分な高さに上がっていても、両脚が同時に上がった形が見えないと難度はカウントされない。確実に点数を得るためには、まずは現状で無理なく正しいフォームがとれるジャンプを選択しつつ、柔軟性や瞬発力、筋力をつけるトレーニングを積み、より難度の高いジャンプへと段階的に移行しよう。

ここがポイント！

ジャンプはフォームだけでなく高さも重要になる。跳躍力をつけるためのトレーニングを適宜取り入れ脚力や床をつま先でつかむ力をつけることが必要！（⇒ポイント22を参照）

ジャンプ

例① コサックジャンプ（価値点0.2）

比較的容易なジャンプで、初心者の演技によく用いられるが、正しいフォームをとることは案外難しいので注意が必要。前脚を伸ばすことだけでなく、後脚をたたむことを意識すること。

Check1 前脚はしっかり伸びているか
Check2 後脚は小さく折りたためているか
Check3 自分の腰の位置よりも高く跳べているか

例② 鹿ジャンプ（価値点0.2）

非常に基本的なジャンプだが、これも正しいフォームで跳ぶことは案外難しい。上位選手でも前脚が引きつけきれていない場合も多いので、十分に注意して練習しよう。

Check1 前脚は、しっかり引きつけられているか
Check2 後脚は、水平または水平より高い位置で伸ばせているか
Check3 自分の腰の位置よりも高く跳べているか

例③ 大ジャンプ（価値点0.3）

簡単そうに見えるが、十分な開脚度を見せることは難しいので、価値点も高い。開脚度も必要だが、骨盤をずらさずに正しい姿勢で開脚しないと実施での減点につながる。

Check1 前脚が水平以上の高さで真正面に上がっているか
Check2 後脚が水平以上の高さで真後に上がっているか
Check3 自分の腰の位置よりも高く跳べているか

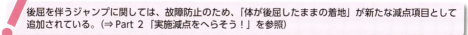

! 後屈を伴うジャンプに関しては、故障防止のため、「体が後屈したままの着地」が新たな減点項目として追加されている。（⇒ Part 2「実施減点をへらそう！」を参照）

点数のとりこぼしをへらそう!

ポイント4 「ローテーション」は、形が決まってから回り始め、360度は粘って回ろう

回転中もかかとの高さをキープする!

　ローテーションは、最低1回転（360度）回る間に、正しいフォームが固定されていないと難度としてカウントされない。360度回らないうちに脚が下がってしまわないように、360度をしっかり意識して回りきるまでは形を保持する必要がある。また、回ることに気持ちがいきすぎて正しいフォームがとれなかったりすると、難度がカウントされなくなってしまう。プレパレーション（準備動作）から素早く回転中の形にもっていけるように心がけたい。

　ローテーションは回転数を増やせれば価値点を上げられるのでしっかり基本を身につけよう。

ここがポイント!

2回以上回転しても、途中でかかとがつけば、その後の回転は難度にはカウントされない。回りきるまでしっかりかかとを高く保とう。（⇒ポイント26を参照）

ローテーション

プレパレーションも美しく
脚の高さもかかとの高さも十分！

例① 前方水平の脚上げ（価値点0.3）

比較的容易なローテーションだが、前に脚を90度以上に上げて美しいフォームを保つことは案外難しい。膝が曲がる、上体が前や後ろに傾くなど姿勢欠点も目立つので美しいフォームを心がけて練習しよう。

- **Check1** 前脚は水平または水平以上に保たれているか
- **Check2** 前脚は真っ直ぐ正面に伸びているか
- **Check3** 前脚を90度以上上げた形で360度回りきれているか

背中もしっかり引き上げると美しい

例② アチチュード（価値点0.3）

正しいアチチュードの形を保持することはかなり難しいので、鏡などを見てしっかり正しいフォームを身につけたい。膝の位置が落ちず、上げた脚の甲が外に向く美しいアチチュードを目指そう。

- **Check1** 後ろに上げた脚のひざが水平より上にあるか
- **Check2** 上げた脚が曲がりすぎていないか
- **Check3** アチチュードの形になってから360度回りきれているか

上げた脚が横に流れないように注意！

例③ 支持を伴う後方リング（価値点0.3）

リングをつくること（脚を持つこと）ばかり意識すると、上体がそってしまうのでしっかり股関節から脚を上げ、その脚が横に流れてしまわないように気をつけよう。

- **Check1** 上体が反りかえっていないか
- **Check2** 脚が横に流れず真後に上がっているか
- **Check3** リングの形になってから360度回りきれているか

> 回転は足りていても回り終えたときに移動したり、回転中のホップや移動などは実施で減点される。
> （⇒ Part2「実施減点をへらそう！」を参照）

点数のとりこぼしをへらそう！

ポイント5 リズミカルで表現力のある「ダンスステップコンビネーション」を目指そう！

華やかで表現力あふれるステップは演技の見せ場になる！

　2012年のロンドン五輪後のルール改正によって組み込まれた「ダンスステップコンビネーション」（以下「ステップ」とする）は、2021年までのルールではD（難度）の要素となっており条件を満たせば0.3が与えられていた。

　「2022-2024ルール」から、ステップはDではなく、A（芸術）に含まれることになり、実施することによって得点になるのではなく、入っていなかったり、ステップの条件を満たしていなかった場合には、A得点から減点されることになった。演技中に8秒間以上のステップを2回入れることが必須となっており、1回不足すれば0.5、2回の不足は1.0という大きな減点となる。

ここがポイント！

さまざまなジャンルの踊りを見ること、経験することで「ステップ」の引き出しを増やしておこう。曲のイメージを表現できるステップは得意にできれば強みになる。

ダンスステップコンビネーション

リボンをかきながらのステップ

ステップの必須条件

・手具の動きを伴う
・8秒以上
・テンポ、リズム、音楽の特徴とアクセントに従う
・最低2つの移動の様式を伴う

　演技中にステップを実施はしていてもこれらの条件を満たしていなければ、0.5あるいは1.0がA得点から引かれてしまう。
　リズミカルかつ表情豊かで魅力的なステップで、演技の見せ場を作れるようにしよう！

フープを回しながらのステップ

曲のアクセントに合わせてのステップ

手具の基礎技術（らせん）を伴ったステップ

こんなステップはノーカウント！

×手具が動いていない。
×大きな投げが入っている。
×プレアクロバット要素が入っている。
×回転を伴うダイナミック要素（R）が入っている。
×手具の落下がある。
×バランスを崩して片手か両手をつく、あるいは手具によって支える。
×バランスを崩して転倒する。
×8秒間、座ったまま、横になったままでの実施。

!　手具操作にミスや不明確さがあると、得点は伸びていかない。ステップは単調にならないようにダイナミックに実施しつつ、手具操作も確実に行うことが必要になる。（⇒ポイント8〜13を参照）

点数のとりこぼしをへらそう！

ポイント6 「回転を伴う投げ受け」は、中断せずスムーズに実施しよう！

スピード感、高低差などがダイナミックな表現につながる

　回転を伴うダイナミック要素（R）は、「手具を大きく投げ、手具が宙に浮いている間に体を360度×2回転し手具をキャッチすること」で0.2のD得点を得ることができる。ただし、大きな投げには「身長の2倍以上の高さ」が必要となる。

　360度の回転を2回というと、かなりハードルが高く感じるだろうが、たとえば2回連続のシェネでも条件は満たしている。ただし、2回の回転に回転不足があると（床上でのお尻回りやシェネなどに多い）、R自体がカウントされない場合もあるので気をつけたい。

ここがポイント！

Rには「手以外」「視野外」や「転がしによるダイレクトな受け」など、投げ、受けの最中に行うと、価値点を上げることのできる追加基準があるので、熟練してきたら挑戦してみよう！

回転を伴うダイナミック要素（R）

例① 回転ジャンプを伴う投げ受け

フープを手で投げ上げ、回転しながらの猫ジャンプを2回行い、落ちてきたフープをキャッチする。

Check1 ジャンプは中断なく2連続回っているか

Check2 回転ジャンプを終えたその場でキャッチしているか

例② 前転を伴う投げ受け

ボールを投げ上げ、2連続前転をして落ちてきたボールを脚でキャッチする。キャッチが手以外なので＋0.10となり、前転を3回にすれば＋0.2の加点がつく。

Check1 前転は中断なく2連続回れているか

Check2 前転を終えたその場でキャッチできているか

> ❗ 投げたあとにステップが入ったり、走ったりしてしまうとRは無効になる。投げたはずみで不用意に1歩ステップしないように注意しよう。

点数のとりこぼしをへらそう!

ポイント7 練習を積んで手具難度をマスターし、得点を積み重ねていこう!

手具難度は、手具を使う新体操ならではの見せ場だ

　手具難度（DA）は、「技術的に難しい手具の操作」「革新的な手具の使い方」のことを指し、2017-2021ルールでは「AD」と呼ばれていたものだ。原則的には「1つのベース＋2つの基準」を満たす手具操作のことを指し、ベースは、基礎手具技術要素（⇒ポイント8を参照）や「投げ」になるが、2021年までのルールでは「投げ」「受け」をベースとした手具難度の価値点が高い傾向にあったが、今回のルールではむしろ「基礎手具技術要素」をベースとしたDAの価値が高くなっている。

　前のルールでは、手具難度で得点を稼ぐために演技中に投げが増えすぎていたことを鑑み、「2022-2024ルール」では基礎手具技術要素に代表される各手具の特徴的な操作をベースとしたDAに高い価値が与えられているようだ。

ここがポイント!

どの手具操作がベースとなり、何が基準となるかは巻末（⇒付録参照）にも掲載してあるが、「2022-2024採点規則」（⇒P126参照）には、以前のものよりもかなり分かりやすくまとめてあるので、手に入れて研究するとよいだろう。

手具難度（DA）

もぐり投げ

背面でのキャッチ

例① 視野外の操作

比較的なじみのある「視野外の操作」は、身体難度と組み合わせたり、「床上」と組み合わせて DA に使いやすい要素だ。きちんと視野外と認められる位置で操作できるように練習しよう。

脚での投げ

脚に巻きつけてキャッチ

例② 手以外の操作

「手以外の操作」も、「片脚／両脚の下から」「軸回転を伴った投げ」などと組み合わせて DA には使いやすい。脚だけでなく身体の様々な部分を使って投げたり、キャッチできるように練習してみよう。

肘側転しながら首の後ろでキャッチ

例③ 視野外＋手以外

肘側転をしながら、首の後ろでロープをキャッチすると、「視野外」と「手以外」を同時に満たすことになる。視野外でできる投げ受けは、さらに手以外でできないか。または手以外でできる投げ受けはさらに視野外ではできないか、と、現在、自分がマスターしている操作にプラスアルファできる可能性を模索してみよう。

! DA は、シニアは 20 回までと制限があり、まったく同じものの繰り返しになってはいけない。また、最低でも 1 回は入れなければならず不足した場合は 0.30 の減点となる。

点数のとりこぼしをへらそう！

ポイント8 5手具それぞれに必須の基礎手具技術を完璧にマスターしよう！

身体難度中やステップにも手具の基礎技術は必要となる

5種類の手具それぞれにおいて、手具技術は「基礎手具技術」と「基礎でない手具技術」にグループ分けされている。なかでも「基礎手具技術」は、各手具4グループがあり、演技中にそれぞれのグループに定められた必須回数（1〜2回）の操作を入れなければならない。

これらの手具技術は、身体難度、ダンスステップコンビネーション、回転を伴ったダイナミック要素、手具難度の中で行うことができるが、複数の身体難度中に同じ手具操作を繰り返し使用することはできない。それぞれの手具における「基礎手具技術」は、自信をもって実施できるように十分な練習を積んでおきたい。（⇒ポイント8〜13を参照）

また、これらの手具技術は、つなぎ要素として使うこともできる。（⇒ポイント43を参照）

ここがポイント！

難度はカウントされる程度に手具技術が実施できたとしても、不正確な操作による実施減点はされやすい。1つ1つの操作を丁寧に正確に行うことが必要となる。（⇒ポイント16を参照）

基礎手具技術

各手具の代表的な基礎手具技術

それぞれの手具の特性を生かした操作が「基礎手具技術」として4グループずつにまとめられている。熟練度が増してきたら「基礎でない手具技術」にも挑戦すると演技の幅が広がっていく。

手や身体の周りの回し

▶フープ
この他に「くぐりぬけ」「転がし」「軸回し」がある。（⇒ポイント9を参照）

身体上の最低でも2部位の転がし

◀ボール
この他に「突き」「8の字運動」「片手キャッチ」がある。（⇒ポイント10を参照）

風車

▲クラブ
この他に「非対称の動き」「小さな2本投げ」「小円」がある。（⇒ポイント11を参照）

エシャッペ

▲ロープ
この他に「くぐりぬけ」「スキップ」「両端キャッチ」がある。（⇒ポイント13を参照）

蛇形

◀リボン
この他に「らせん」「ブーメラン」「エシャッペ」がある。（⇒ポイント12を参照）

身体難度中の手具技術に実施で0.3以上減点されるようなミスがあると、身体難度もカウントされない。手具技術はミスなく正確に行うことが重要となる。

点数のとりこぼしをへらそう!

ポイント9 正確な「回し」「転がし」が基本!
〜フープの基礎技術

フープは操作するときの面の向き、軌道にも注意!

バランス、ジャンプなどの身体難度を実施する際には、最低1個の手具特有の技術を伴わなければならない。フープの場合は、「くぐりぬけ」「転がし」「回し」「軸回し」が基礎手具技術グループとされており、難度がカウントされるためには、これらの手具操作を確実に行う必要がある。

フープの基礎手具技術の中の「転がし」と「回し」はさまざまな部位で行うことで技術をアピールでき、演技の多様性にもつながっていく。

しかし、どちらも操作の基本がしっかりできていないと大きなミスにつながりやすいので注意したい。

ここがポイント!

「転がし」「回し」は、実施する部位や長さによっては、DAにも使うことができ、汎用性が高いので、得意と思えるようになるまで練習しよう!

フープの基礎技術

※は演技中に2回必須

フープの基礎技術①
転がし※

身体上の大きな2つの部位以上にわたってフープを転がす。
広げた腕や背中などで行うことが多い。

 途中で落ちたり、はずんだりしていないか

Check2 途中で面が傾かずスムーズに転がっているか

転がし始めも面がきちんと見えるように

胸を通るときにはずまないよう

回し始めに勢いをつけて

回っている最中も表情を！

フープの基礎技術②
回し

手の周りか身体の一部（首や腰、脚など）の周りで最低1回以上、フープを回す。回数多く回すことでスピード感が出る。

Check1 面の向きが一定で乱れずスムーズに回っているか

Check2 フォームや表情にも気を配れているか

フープの基礎技術③
軸回し※

指の間、または身体の一部上でフープを1回転回す。バランス中に胸の上で回すなどの使い方もある。

 肘が曲がっていないか

Check2 フープはしっかり1回転しているか

腕を伸ばして手具は遠くに

指の間で素早く回す

フープの面を整えて

つま先をゆるめない！

フープの基礎技術④
くぐりぬけ

身体全体または身体の一部でフープをくぐりぬける。最低でも身体の大きな2部位（頭＋胴、腕＋胴など）をぬけること。

Check1 フープが途中で身体についていないか

Check2 くぐりぬけはスムーズか

点数のとりこぼしをへらそう！

ポイント 10

繊細で柔らかい「キャッチ」「転がし」が醍醐味！
〜ボールの基礎技術

体の動きと操作の両方で柔軟性をアピール！

　ボールの操作を行う際の最重要ポイントは、「ボールが指になじむように自然に支えられていること（＝ボールをつかまない）」「ボールと前腕が接触しないこと（＝ボールをかかえこまない）」の2点で、これをクリアしていないと、実施で減点されたり、難度自体がカウントされない場合もある。

　体のどこかでボールを転がす際には、ボールが肌にすいつくように、ボールの重さをうまく活かした操作が必要となる。また、ボールは片手での操作を基本とし、両手での操作は多用してはならないという決まりがある。ボールは、落下すればどこまでも転がってしまうというリスクの高い手具でもあり、操作は自信がつくまで繰り返し練習したい。

ここがポイント！
ボールの転がしは、ボールを移動させるのではなく、体をボールに合わせていくことを意識して！

ボールの基礎技術

※は演技中に2回必須

ボールの基礎技術①
転がし※

身体上の大きな2つの部位以上にわたってボールを転がす。
広げた腕や背中から脚などで行うことが多い。

Check 1 肘が曲がっていないか

Check 2 途中でボールがはずんでいないか

はじめに勢いをつけすぎない

胸はやや反り気味に

手の甲を丸くして柔らかく突く

突いている間も姿勢は美しく

ボールの基礎技術②
突き

膝より下での小さな突きは、3回突く必要があるが、膝より高い突きは1回でよい。体の一部を使ってのリバウンドも突きになる。

Check 1 掌全体で突いているか

Check 2 空き手も美しく表情があるか

ボールの基礎技術③
8の字運動※

全身を大きく使い、ダイナミックに柔らかく、ボールを掌に保持しながら身体の側面で8の字を描く。

Check 1 ボールをつかんだり抱えたりしていないか

Check 2 大きく8の字が描けているか

常に掌を上に向けて

大きく伸びてボールを体の遠くに

しっかりボールを見て

高い位置からボールと一緒に下して受ける

ボールの基礎技術④
片手キャッチ

きちんとマスターして不用意に両手を出さないようにしたい。腕だけでなく全身を使って投げ受けするのがポイント。

Check 1 肘を伸ばして遠くでボールを離しているか

Check 2 キャッチした後、腕は引けているか

点数のとりこぼしをへらそう！

ポイント11 自由自在に回すための基礎をマスターしよう！～クラブの基礎技術

手具の中で唯一、2つを同時に操作するクラブは技術をアピールできる種目だ。

「2本ある」ことが最大の特徴であるクラブは、なるべく左右1本ずつ操作することが望ましく、2本を束ねての操作やクラブの真ん中を持っての操作は多用してはならない。頭の部分を指ではさんで軽く持ち、手の中で頭を自由に回せることがクラブ操作の基本になる。握らないことが重要。

慣れない間は、5手具の中でもっとも操作が難しいと感じるかもしれないが、基本をマスターすれば操作のバリエーションが多く、演技に表情がつけやすい種目とも言える。

基礎技術の他、打ちつける、体の上を滑らせる、突き返し、掌で水平に回すなどアクセントになる操作の種類も多い。

ここがポイント！

スピード感のある風車ができると、「クラブ操作がうまい！」と印象づけられる。自分の武器にできるまで練習しよう。

ボールの基礎技術

※は演技中に2回必須

ボールの基礎技術①
転がし※

身体上の大きな2つの部位以上にわたってボールを転がす。
広げた腕や背中から脚などで行うことが多い。

Check1 肘が曲がっていないか

Check2 途中でボールがはずんでいないか

はじめに勢いをつけすぎない

胸はやや反り気味に

手の甲を丸くして柔らかく突く

突いている間も姿勢は美しく

ボールの基礎技術②
突き

膝より下での小さな突きは、3回突く必要があるが、膝より高い突きは1回でよい。体の一部を使ってのリバウンドも突きになる。

Check1 掌全体で突いているか

Check2 空き手も美しく表情があるか

ボールの基礎技術③
8の字運動※

全身を大きく使い、ダイナミックに柔らかく、ボールを掌に保持しながら身体の側面で8の字を描く。

Check1 ボールをつかんだり抱えたりしていないか

Check2 大きく8の字が描けているか

常に掌を上に向けて

大きく伸びてボールを体の遠くに

しっかりボールを見て

高い位置からボールと一緒に下して受ける

ボールの基礎技術④
片手キャッチ

きちんとマスターして不用意に両手を出さないようにしたい。腕だけでなく全身を使って投げ受けするのがポイント。

Check1 肘を伸ばして遠くでボールを離しているか

Check2 キャッチした後、腕は引けているか

点数のとりこぼしをへらそう！

ポイント 11

自由自在に回すための基礎をマスターしよう！
～クラブの基礎技術

手具の中で唯一、2つを同時に操作するクラブは技術をアピールできる種目だ。

「2本ある」ことが最大の特徴であるクラブは、なるべく左右1本ずつ操作することが望ましく、2本を束ねての操作やクラブの真ん中を持っての操作は多用してはならない。頭の部分を指ではさんで軽く持ち、手の中で頭を自由に回せることがクラブ操作の基本になる。握らないことが重要。

慣れない間は、5手具の中でもっとも操作が難しいと感じるかもしれないが、基本をマスターすれば操作のバリエーションが多く、演技に表情がつけやすい種目とも言える。

基礎技術の他、打ちつける、体の上を滑らせる、突き返し、掌で水平に回すなどアクセントになる操作の種類も多い。

ここがポイント！

スピード感のある風車ができると、「クラブ操作がうまい！」と印象づけられる。自分の武器にできるまで練習しよう。

クラブの基礎技術

※は演技中に2回必須

クラブの基礎技術①
風車※

手首を交差させ、タイミングをずらして回旋させる。水平の他、縦の風車もあり、体の前だけでなく頭の上や体の後ろで行うこともある。

Check1 肘はしっかり伸びているか

Check2 手首が離れすぎていないか

クラブはつかまない

胸に当たらないよう注意！

常に美しい姿勢を保って

回旋はスムーズに！

クラブの基礎技術②
非対称の動き

クラブの形または大きさ、動く面、方向とも異なっていることが必要。小円を左右で時差をつけても非対称の動きとは認められない。

Check1 右手は小円を描き、左手は腕から大きく回せているか

Check2 両腕ともしっかり伸びているか

クラブの基礎技術③
小さな2本投げ※

クラブは同時、または時差をつけて回転させながら投げる。
クラブの回転がきちんと見えることが必要。

Check1 肘が曲がっていないか

Check2 クラブはしっかり1回転しているか

手から離すときにスナップをきかせて

玉の部分をきちんとキャッチ！

クラブの玉を指にはさみ自由に回るように

腕はしっかり伸ばして

クラブの基礎技術④
小円

両方の手にクラブを1本ずつ持ち、同時または時差をつけてクラブを回す。最低1回は両方のクラブを回す。

Check1 クラブの持ち方は正しいか

Check2 同時か時差かの違いがはっきり見えるか

点数のとりこぼしをへらそう!

ポイント 12

美しい軌跡を描くためには力強い「描き」が必須!
～リボンの基礎技術

もっとも華やかなリボンは、手具操作の巧拙が見えやすい。90秒間リボンを動かし続ける持久力も必要だ。

さまざまな操作の練習に入る前に、とにかくリボンをしっかり描ける力をつけたい。腕の力や動きをリボンの端まで伝えられるようになれば、軌跡も美しくはっきり見えるようになり、高度な技術も身につけやすい。

演技の中に、スティックを体の上で滑らせる、リボンをあえて体に巻きつけてほどくなどをアクセントして入れることができるが、これらは多用してはならない。リボンは基本的に床につかないように操作しなければならず、スティックも端をもたなければならない。これらが正確に行われない場合は実施での減点となる。

ここがポイント!

ローテーション中のリボンの軌跡は乱れがち。回転しながらでもきちんと形が見えるようにしっかり描こう。

リボンの基礎技術

※は演技中に2回必須

リボンの基礎技術①
蛇形※

　同じ高さの山を、空中または床上で4〜5つ描く。山と山の間が空きすぎず、等間隔になるようにする。

Check1 山は4〜5つできているか

Check2 山は同じ高さでそろっているか

リボンが床につかないように

リボンの基礎技術②
ブーメラン

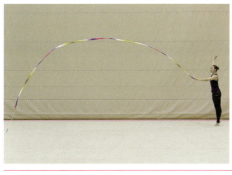

　リボンの端を握り、スティックを遠くに投げてから手元に引き戻す。スティックの投げ方にはバリエーションがある。

Check1 スティックを正しい軌跡で投げているか

Check2 スティックを引き戻すタイミングは適切か

リボンの基礎技術③
エシャッペ

　片方の手から投げ上げたスティックを空中で回転させ、もう片方の手でキャッチする。投げは高くなりすぎないように。

Check1 スティックはちゃんと回転しているか

Check2 キャッチしたあとリボンを振っているか

投げるときは手首を使って　→　リボンは床につけないように意識する

リボンの基礎技術④
らせん※

手首を使ってリボンに力を伝えるようにかく

　空中または床上で、4〜5の同じ大きさの円を描く。なるべく間を詰めて、等間隔で描くことが必要となる。

Check1 円の数は足りているか

Check2 円の大きさ、間隔は等しくなっているか

33

常に張りをもたせて操作しよう！
～ロープの基礎技術

ポイント 13

個人競技ではジュニアまでしか使用しないロープだが、躍動感のある演技を見せやすい手具だ。

　手具自体は地味であるが、ロープは2つ折りにしたり、長く1本にして使う、片端ずつ両手に持つなど、さまざまな形に変化させることができるのが魅力だ。ジャンプやスキップ、ステップとも組み合わせやすい手具であり、使い方のバリエーションは豊富だ。

　落下もしにくく扱いやすい手具ではあるが、常にロープに張りをもたせて操作することが基本であり、それが損なわれると実施減点にもつながる。張りをもって操作されるとロープは表情豊かになり、演技を彩ってくれる。どの操作を行う際も、ロープの張りを意識して練習してほしい。

ここがポイント！

エシャッペは、キャッチする瞬間までしっかりとロープの端を見て。

ロープの基礎技術

※は演技中に2回必須

ロープの基礎技術①
くぐりぬけ※

両端を両手で持ったロープ、または2つ折りにしたロープを、前方、後方または側方に回し、身体全体または一部でくぐりぬける。

Check1 2つ折りにしたロープは張っているか

Check2 引っかかりなくスムーズに跳び越せているか

猫背にならないように

つま先も美しく

ロープの基礎技術②
両端キャッチ

投げたロープの両端をそれぞれの手でキャッチする。その際にロープの端を余らせずにキャッチすることが必要となる。

Check1 ロープの端をキャッチできているか

Check2 キャッチした後のロープの流れはよいか

キャッチはなるべく体の遠くで

キャッチ後にロープが止まらないように

ロープの基礎技術③
スキップ

前方、後方、または側方に回すロープを、スキップかホップでくぐりぬける。最低3回は連続して行う。

Check1 ロープに張りはあるか

Check2 ロープに体が触れていないか

前脚のつま先を意識して

跳ね上げた後ろ脚も美しく

ロープの基礎技術④
エシャッペ※

ロープの片端を手から離し、戻ってきた端をキャッチする。空中でのロープの動きでバリエーションをつけることもできる。

Check1 ロープには張りがあり大きく動かせているか

Check2 ロープの端をキャッチできているか

片端を自然に遠くに放つ気持ちで / よく見て端をキャッチする

2022-2024ルールのポイント①

● 「芸術性」の比重が高くなる！

　2021年までのルールでは、「芸術」と「技術」の両方が実施として評価されていた。6名のE審判のうちの2名が芸術的欠点を評価し、4名が技術的欠点を評価。双方の減点を足して10点満点から引いたものがE得点となっていた。しかし、2022年からのルールでは、「芸術（A）」の審判が4名になり、10点満点からの減点法でA得点が出る。「実施（E）」も同様なので「A+E」、そこに「難度（D）」の得点を加算したものが総得点になる。

　2021シーズンの終盤だと日本のトップ選手のD得点は14〜15点になっていた。E得点が7.00くらい出たとして総得点は21〜22点。新しいルールでは、仮にD得点は同程度にとれたとして、AとEがともに7.00だったとしたら28〜29点になる。

　また、D得点は同レベルでも、実施や表現の面で減点が多ければAとEの両方で点数が引かれる。Eの減点だけであればそれほど得点差はつかなかったが、新しいルールでは仮にAとE両方で2.00ずつ差がついたとしたら、総得点では4.00の差になる。

　つまり、2021年までは「E得点が少々下がってもその分、Dで稼げばいい」という戦略もあり得たが、今後はそうとは言えなくなってくるということだ。とくにAに関しては、無機的に淡々と技をこなしていくだけ、というような演技ではかなりの減点になりそうだ（⇒ポイント19、40参照）。

　「芸術」の評価は、技をいくつやったから◯点、のように明快にはいかないだけに、指導者も選手も審判も、採点競技の難しさに直面する可能性をはらんでいる。しかし、だからこそ今までとは違うアプローチで得点を上げる工夫の余地もあるように思う。「なぜこの曲なのか」「この曲で何を表現したいのか」を、今まで以上によく考え、話し合いながら演技を創り上げる過程を大切にして、技術的な向上だけでなく「伝わるもののある演技」を目指してほしい。

Part 2

実施での減点を へらそう！

Part1でとりあげた「難度」でのとりこぼしがへったとしても、
実施が減点だらけでは得点は伸びない。
そして、新体操はいくらでも減点するポイントのあるスポーツなのだ。
落下だけでなく、どんな場面で実施が減点されてしまうのかを
理解し、よくある減点ポイントに対して賢く対策をし、
減点の少ない実施を目指そう。

実施での減点をへらそう！

ポイント14 「立っているだけで減点」と言われる姿勢欠点をなくそう！

姿勢欠点のない立ち姿はそれだけでも美しい

「いかり肩」や「猫背」などの姿勢欠点は、実施で減点される。その欠点が演技中、ところどころで目につく程度なら、その都度0.1の減点となるが、演技中ずっと姿勢欠点が気になるようだと大きな減点となる。

姿勢欠点は、本人が意識し、注意深く練習をすることや、客観的なアドバイスを素直に取り入れていくことで改善する。改善に時間はかかるが、不可能ではない。地道な練習により、姿勢欠点を改善し、減点の少ない演技を実現していこう。

ここがポイント！

「いかり肩」「猫背」などは、左右の肩甲骨同士を近づけるように意識するとかなり改善できる。姿勢が悪くならないためには、どこをどう気をつければいいのか、自分なりのわかりやすいポイントを見つけよう。

姿勢欠点

立ち姿（前）

ただ立っているだけなら気をつけていられても、手具を操作をしたり、身体難度を行うとなると、もともとの姿勢の悪さが露呈してしまう場合が多い。いかり肩は首も短く見えてしまうので気をつけたい。

立ち姿（横）

猫背は日本人には非常に多い。また、腰が入ってしまう人も新体操選手には多いが、お腹が出て見えるうえに、腰を傷めやすいので注意したい。背中からお尻までまっすぐに立つトレーニングをしよう（⇒ポイント25を参照）。

美しい姿勢を作るレッスン

姿勢欠点は一朝一夕には直らないが、地道なトレーニングでかなり改善できる。バレエのバーレッスンは、美しい姿勢作りには最適なので、短い時間でもよいので自宅でもやる習慣をつけよう。

バーレッスンは、美しい姿勢作りに効果的！

バーレッスンはいい加減にやっても効果はない。自己流ではなくレッスンDVDなどで正しい見本を確認し、正しい形を理解しながら行うことが肝心だ。

実施での減点をへらそう!

ポイント 15 演技全体の質に関わる脚のラインの欠点をなくそう!

まっすぐに伸びた脚のラインは演技を美しく見せる

　新体操の練習中には「脚」「足先」について注意されることが多いのではないかと思う。言われるほうは「またか」と思っているかもしれないが、つまりそれだけ「脚のライン」は新体操での評価に影響してくるのだ。

　脚のラインも、姿勢欠点同様、その都度0.1減点される。今、現在、脚による減点が多いのならば、なおさらのこと、脚のラインが少しずつでも改善すれば点数にもそれは反映してくるはずだ。

　脚のラインの欠点は骨格的なものに拠る場合もあるが、それも見せ方でかなりカバーすることができる。肝心なのはあきらめず、少しでも改善できるように意識をもって努力を続けることだ。(⇒ポイント27を参照)

ここがポイント!

内股の人は、内腿に力を入れ、膝・つま先が外に向くよう努力するとかなり内股になりにくくなる。それでも、バランスなど片足で踏ん張るときになると、足先が内向きになることが多いので注意が必要だ。

脚の欠点

脚の欠点①

後ろ支持のバランスやパンシェなど、脚を後ろに上げるときに軸足が内股になる選手は非常に多い。せっかく美しい形で難度ができていても軸足が内股だと、減点まではされなかったとしても印象は悪い。〇脚の場合は無理に矯正すると脚を傷めることにもなるので、見せ方の工夫もしよう。

脚の欠点②

軸足の膝曲がりは、膝を入れることを意識してトレーニングすることでかなり改善していくが、90度バランスのときの上げた脚の膝曲がりはかなり多い。ローテーションでは、脚を前や横に90度上げることが多いが、そこで膝曲がりが目立つと難度はカウントされても実施では減点されてしまう。

脚の欠点を克服するには

「内股にしない」「膝曲がりにならない」と悪いところを気にしてやめようとするのではなく、「理想的な脚の形」をきちんと理解し、そこに近づけるという気持ちで常に自分の脚を意識するようにしよう。

左右の脚の内側がつき、膝とつま先が外を向き、膝が出ていないまっすぐな脚を目指そう！

脚のラインの欠点は、ルールに定められている減点以上に、演技全体の印象を悪くしてしまいがちだ。まずは、美しい脚のラインを意識し、そこに近づけていくことで、確実に演技はレベルアップできるのだ。

実施での減点をへらそう!

ポイント16 「落とさなければいい」ではなく手具操作の正確性をアップしよう!

手具操作には減点の落とし穴がいっぱい!

　手具の落下なく演技を通すことができたら、見た目は「ノーミス」だが、手具操作の実施による減点はたいていの場合、かなりあるはずだ。「フープの操作面の乱れ」「ボールの転がしでのバウンド」「2本のクラブの投げの回転の同時性の乱れ」「リボンの軌跡の乱れ」などすべて0.1減点、「ロープやリボンが体にまきつく」などは0.3の減点となる。ただ演技を通すのではなく、細かい部分にまで気を配り、正確に手具を操作することで実施減点はかなりへらせるはずだ。

ここがポイント!

手具操作の不正確さによる減点ポイントは「採点規則」に明記されている。見たことがない人は一度見て、頭に入れておくとよい。何がどのくらいの減点になるか知った上で演技することが重要だ。

手具操作の正確性

不正確な手具操作の例

これらの例は、演技中にはよく起こるものばかりだ。それも、「大きなミス」には見えず、やっている本人も「ミスをした」という自覚がないものもあるだろう。しかし、こういった細かいところで実施の点数はどんどん引かれていく。しかも、手具操作だけでなく、姿勢や脚などの欠点でも実施は引かれていく。となると90秒演技を終えたときには、点数が残らなくなりかねない。実施減点を減らすために、手具操作の正確性を上げることを意識した練習をしよう。

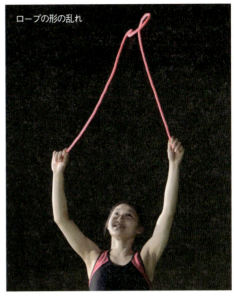
ロープの形の乱れ

フープの面の乱れ

転がしの肘の曲がり

両手首が離れすぎた風車

ローテーション中のリボンの形が不明瞭

> ❗ 「ロープの端を余らせて持たない」「リボンのスティックは端を持つ」「クラブの首や胴体を持たない」など、そうなった瞬間があってもすぐに直せるものは素早く持ち直すことを心がけ、減点を最小限にしよう。

実施での減点をへらそう！

ポイント17 投げが失敗しても落下を防ぐ賢い対処法を身につけて大減点をなくす

伏臥でのキャッチはミスすれば大きい。対処法を考えておこう。

　実施減点をへらすためには正確な操作が必要な一方で、正確さや美しさを犠牲にしてでも大減点を防ぐことを優先すべきときもある。現在のルールでは「手具の落下」の減点はかなり大きい。落下してその場で取り戻した場合でも0.5、1～2歩移動して取り戻した場合0.7、3歩以上移動して取り戻すと1.0も減点される。
　練習では正確さを求めることは大原則だが、本番では0.1減点は覚悟の上で落下だけは防ぐ！　という執念も必要となってくる。

ここがポイント！

「場外」「演技終了時に手具なし」なども1.0という大きな減点になる。とくに演技終了時の落下は、程度によって減点にかなり差が出るので普段から対処法を考え、少しでも減点を少なくするためのシミュレーションをしておこう。

落下を防ぐ

クラブを体で受ける

ロープの片端をこぼしエシャッペで取り戻す

落下を防ぐ対処法

投げ受けは1歩移動してキャッチで0.1、2歩以上移動してキャッチで0.3、身体との接触を伴ったキャッチは0.1の減点となる。

これらの対処法は0.1～0.3の減点にはなるが、落下してしまえば0.5、さらに移動すれば0.7～1.0の減点になることを思えばこういった対処も身につけておきたい。

とくにリボンはキャッチしたあとに素早く振りはらうことでリボンの端が床についての場外を防ぐこともできる。少しでも減点をへらすためのとっさの判断ができるようになろう。

伸び上っての座のキャッチ

場外しかけたリボンを追いかけてキャッチ

落下したあとの処理

落下してしまったとしても、その場で取り戻すのと移動するのでは減点幅が違う。落とした、ということで落胆して呆然としているうちに手具が転がっていってしまえば大減点になる。たとえ落下しても移動せずに手具を取り戻せるような対処も必要だ。

落下したボールをすぐに押さえる

> こういった対処はキャリアを積んでくれば身についてくるものだが、試合経験が少ない場合などは落ち着いて対処できずに傷を大きくしてしまうことが多い。「ミスを前提とした対処の練習」も現実的には有効だ。

実施での減点をへらそう!

ポイント18 「ほんの一歩」が命取り！無駄な移動を意識してなくして減点をへらす！

投げた手具の行方をしっかり確認して移動や落下を防ごう

投げ受けの際に、手具の落下はなくても本来の予定とは違う方向に投げがいってしまい、走って追いかけなんとかキャッチというシーンはよく見かける。もちろん、落下するよりはよいのだが、1歩の移動で0.1、2歩以上の移動で0.3の減点はついてしまう。しかし、これも投げの間に行う動きの方向を投げに合わせて調整すれば、移動の減点をとられずにすむ。

また、回転を伴う投げ受け（R）は、回転の中断があるとRがカウントされなくなる場合もあるので、2回転する中で方向を調整する必要がある。予定とは違ってしまった投げに対応するためには投げた瞬間、手具の行方を確認し、次の動きに入りながらどう対応するか判断し、反応することが必要だ。

ここがポイント！

投げる、回転すると同時に、目で投げの方向を確認し、それによって次の行動を判断し、対応する。コーディネーション能力を磨くことでこういった対応力は上がってくる。（⇒ポイント24を参照）

無駄な移動をなくす

ボールを投げた方向を確認

前転に入りながら方向や距離感を確認

投げの方向に向けて前転

必要があれば2回目の前転に入るときにも調整する

脚でキャッチ

連続で2回転しなければならない場合は、どうしても回転（ここでは前転）に入るほうに気をとられてしまうが、回転し終えてからでは投げの狂いに対処することはできない。

必ず投げた瞬間、または回転に入る瞬間に目の端で手具の方向を確認し、回転の方向を調整しよう。回転し終えてから移動してキャッチすることにならないようにしたい。（⇒ポイント6、24を参照）

普段の練習のときに、投げが狂ったときはあきらめてしまっていては、いざというときこういった調整はできない。調整や対処の練習と思って、簡単にあきらめない粘り強い練習をいつも行おう。

実施での減点をへらそう!

ポイント19 なにが「芸術的欠点」になるのかをまず知り、意識しよう!

芸術性の高い演技は、表情や動きから感情が伝わってくる

「2022-2024ルール」では、芸術的欠点は、以下の8項目に対して程度によって0.3、0.5、1.0の減点を課すことになっている。

①音楽や選手の個性に合った特徴的な動き ②ダンスステップ ③体や表情による表現 ④演技中の大きな変化 ⑤音楽に合った体や手具の動き ⑥投げ受けの多様性 ⑦フロアの使用 ⑧構成の統一性　さらに、「演技のつなぎの悪さ」や「音楽のリズム、アクセントと動きのずれ」などは都度0.1、最大2.0まで減点される。

2021年までのルールでは、「芸術的欠点」は「技術的欠点」と合わせて10点の実施点からの減点となっていたが、今回のルールでは「芸術」だけで10点となるため、ここでの減点は全体の得点にも大きく響いてくる。

ここがポイント!

技術的にはまだ拙い選手でも、演技の芸術性を高めることはできる。まず、個性に合った自分でも気持ちを入れて演じることのできる曲を選ぶこと。感情を顔の表情に出すこと。この2つを意識するだけでもかなり違ってくるはずだ。

芸術的欠点

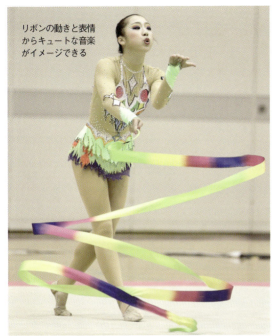

リボンの動きと表情からキュートな音楽がイメージできる

演技中に無表情は禁物！

フープを回しながらのこの表情で明るくノリのいい曲が聴こえてくるようだ

のびやかな動きではつらつとしたイメージが伝わってくる

　ルール上、入れなければならない身体難度や手具技術、ステップなどは決まっているが、芸術性の高い演技の中では、それぞれの身体難度も手具の動きも、意味を持って見えてくる。

　また音楽と演技の一致性が高ければ、動きも操作も唐突にならず、その曲のその部分で行われることが必然に見える。音楽と演技が一体となって演技のもつ意味や感情を伝えてくれるのが「芸術性の高い演技」と言えるだろう。

！音楽の選択について、「選手の年齢を尊重し、技術レベル、そして倫理的に選択すべき」と採点規則に記載されている。極端に年齢や技術に不相応な選曲は減点にもつながるので、選手の個性に合った選曲が必要だ。

2022-2024ルールのポイント②

●手具難度の数には制限ができ、ステップや基礎手具技術は増える

　2021ルールの元では、いわば「手具難度が正義」の様相だった。その結果、技術の高さは素晴らしいには違いないが、「演技と言えるのか？」という作品が増えてしまったのが新体操の現状だった。新しいルールでは、その反省に立ち、手具難度の回数に上限を設けた。シニアは20、ジュニアは15までになったのだ。

　一方で求められる回数が増えたものもある。「ダンスステップコンビネーション」だ。8秒間のステップは、今まではシニアは演技中に1回（ジュニアは2回）だったが、これからは2回必須となる。また、身体難度中やステップ中に入れることが求められる基礎手具技術も今までは1手具につき4つの技術グループから各1回だったのが、2回入れることが必須となったグループが各手具2つずつある。（⇒ポイント8～13参照）

　これは、新体操の真髄でもある「音楽に合わせて踊ること」「手具の特徴を表す操作を見せること」をより重視してほしいという考えに基づいているように思う。

　2021年までの演技は、どうしても「隙間があれば手具難度を入れる」傾向にあったが、これからは、手具難度の回数は抑え、その隙間で何が表現できるか。新体操らしい美しさをどう見せることができるかを追求してほしい、という意図が新しいルールの根底にあるのではないだろうか。

　とくに新体操のキャリアが短い選手たちには、難しい手具操作にどんどん挑戦するというやり方だけではなく、音楽や自分の個性を表現できる演技を作り、曲と動き、表情などの一致を究めることに注力してほしいと思う。「難しい技ができること」だけが評価につながるわけではない。このルールはそんな新体操を目指しているのだから。

Part **3**

ワンランク上の点数を得るためのトレーニング

「難度がカウントされるために」「実施減点をへらすために」
どんなトレーニングを積み、どこを意識して演技すればよいのか。
「ノーミスでも点が出ない」から、より点数のとれる演技ができるように。
目指す演技に近づくために、毎日の練習に取り入れたい
トレーニングを紹介する。

ワンランク上の点数を得るためのトレーニング

ポイント 20 骨盤をまっすぐにした正しいトレーニングで開脚度をアップする!

ジャンプ中に180度開脚するためには180度以上開くまでトレーニングしよう!

新体操の身体難度(DB)には、開脚度が必要なものが多い。バランスはもちろん、開脚系のジャンプ、開脚を伴うローテーションなど、180度の開脚ができないとカウントされない難度も少なくない。

そのため、新体操の上達には柔軟が不可欠となるが、開脚のトレーニングは痛みを我慢していきなり開脚度を上げるのではなく、「骨盤をまっすぐにした正しい形での開脚」で徐々に開脚度を上げていくのが望ましい。正しくない形で無理な開脚を続けると体に歪みが生じる可能性もあるので注意したい。

ここがポイント!

左右のある難度は演技にはどうしても得意なほうを入れることが多くなるため、体のバランスが崩れやすい。前後開脚のトレーニングは必ず左右行い、左右差を徐々になくしていくように心がけよう。

開脚度をアップ

骨盤をずらさない正しい開脚を身につけよう!

両方の骨盤の位置を意識して

骨盤がまっすぐで、前脚が内股になっていないことを確認しながら、なるべく脚のつけ根まで床につけるようにする。

おへそは正面に向けて

上半身の引き上げを意識しながら、つま先、膝をのばして前脚を伸ばす。骨盤の曲がりは、おへその向きでチェック!

椅子を使ってさらに柔軟性をアップ!

後脚が外に流れないように注意!

180度の開脚ができるようになったら、椅子開脚にも挑戦しよう。はじめは、マットなど高さのないものから始めよう。

膝が内側に倒れないように

後脚を椅子にのせての開脚は、後脚の膝は外向きにし、前の膝が内側に倒れないように注意して行う。

!　開脚が苦手な人は、他の人たちがぺたんと開脚しているのに、自分のお尻だけが浮いているのが嫌で、つい骨盤をずらして開脚してしまいがちだ。しかし、このずらした開脚がくせになってしまうと、バランスや開脚ジャンプなどの形が正しいものではなくなってしまい、せっかく難度を行ってもカウントされない。あせらず、正しい形で少しずつ開脚度を上げていくようにして、180度開脚ができなくてもカウントされる難度(アチチュード、パッセなど)から演技に取り入れてみよう。

NG

ワンランク上の点数を得るためのトレーニング

ポイント 21 無理はせず段階的・継続的なトレーニングで「反れる身体」を手に入れる!

美しく反った身体は女性らしいしなやかさの象徴だ

体を後ろに反らす動き（後屈）は、身体難度をレベルアップするためには必要となってくる。同じジャンプでもジャンプ中に後屈が加わると、価値点が上がるため、上位選手は後屈の柔軟性にも秀でている場合が多い。しかし、より反れるようになろうと後屈のトレーニングを頑張りすぎると腰を傷めることにもなりかねないので、後屈のトレーニングは無理をしないことが重要となる。

毎日、少しずつ無理のない範囲で継続していくことで、時間をかけて「反れる身体」を作っていくことを心がけたい。

ここがポイント！

後屈は、体にとっては非常に不自然な状態になるため、トレーニングには十分な注意が必要となる。体を折るように後ろに曲げるのではなく、必ず上に引っ張り上げてから反ることを常に意識しよう。

腰だけでなく背中の柔軟性もつけよう

頭をいきなり後ろに倒すのではなく、体を一度上に引っ張り上げてから、後ろに反ってつま先と頭がつくようにする。

美しく反るためには背中の柔らかさも必要だ。反った後には腰、背中を丸めてリラックスもしよう。

基本のブリッジからランクアップする

床に仰向けになってから、両手のひらを床につけ、両膝を曲げて足の裏も床につけ、肘と膝を伸ばす。

ブリッジの形から肘を曲げ、膝は伸ばして、無理のない範囲で少しずつお尻の位置を頭に近づけていく。

前後開脚と組み合わせての後屈

前後開脚して、後脚の膝を曲げつま先を上に向け、背中を引き上げながら後ろに反り、頭を脚につける。

後脚の膝をゆっくり伸ばして、上体を引き上げながらより後ろに倒すようにする。

ワンランク上の点数を得るためのトレーニング

ポイント 22
跳躍力をつけるトレーニングは即効性を求めず地道に続ける

躍動感あふれるジャンプはダイナミックな演技には不可欠だ。

　ジャンプの得意な選手には、脚力の強い選手が多いが、新体操においては脚力を強化することで跳躍力をつける、という方法はリスクも併せ持っている。むやみに脚力を強化すると、脚に筋肉がつきすぎてラインを損ねたり、硬い床で練習している場合は足の故障にもつながりかねない。

　新体操のジャンプは高いに越したことはないが、高さを競うものではない。**基本の跳び方を理解し、脚力頼みではなく、よいタイミングで跳び、その滞空中にしっかりと空中姿勢を見せられるジャンプを身につけよう。また跳ぶことだけでなく、柔らかい着地を意識することで実施での減点が少なく、故障もしにくくなる。** 跳び上がるところから、着地まで気をぬかないジャンプを練習しよう。

ここがポイント！

ジャンプのタイミングをつかむためには、数をこなすことも必要になる。マットのある体育館などで練習できるときは、普段よりも多めにジャンプを跳ぶ練習をし、練習後には念入りに脚のケアをしよう。

跳躍力をつける

二重跳びで、跳躍力と瞬発力をつける

ロープは張って

床をしっかり蹴ろう

ロープの端を両手で持ち、手首の回転でロープを回し、二重跳びを行う。回数を競うのではなくつま先を伸ばし床をつかむように蹴ることを意識して美しく跳ぼう。

Check1 ロープは張っているか

Check2 リズミカルに跳べているか

Check3 つま先は伸びているか

床を蹴るイメージをつかむバーレッスン

まっすぐに立つ

床をつかむようにして脚を出す

バレエのバーレッスンの「バットマン・ジュテ」。5番ポジションから、軸足ではないほうの脚を前、横、後の順に床を蹴るようなイメージで3回ずつ出す。足は床から10cmくらいの高さまで上げて止め、軸足に戻すを繰り返す。

Check1 骨盤がふらついていないか

Check2 脚を出すときつま先が床をつかんでいるか

Check3 脚を元の位置に戻せているか

跳び上がるイメージと柔らかい着地をつかむバーレッスン

両脚同時に跳び上がる

膝を使って柔らかく着地

両手でバーを持ち、まっすぐに立ち両脚同時に跳ぶ。跳ぶときにつま先が床をつかむイメージで、空中ではつま先は伸ばす。着地は膝を使って柔らかく降りる。

Check1 床をつかむように跳び上がれているか

Check2 つま先は伸びているか

Check3 着地に膝は使えているか

ワンランク上の点数を得るためのトレーニング

ポイント 23 体幹トレーニングで回転に強く、ぶれない軸のある体を作ろう！

しっかり回りきる、回転数を増やすためには軸が重要！

柔軟性の強化に比重がかかりがちな新体操のトレーニングだが、一方で、ローテーションなどをぶれずに回るためにはしっかりした軸が必要となる。柔軟性ばかり追求していると、軸がぶれやすいという欠点にもつながる。

新体操をやっていると柔軟性に秀でた選手を羨ましく感じることが多いと思うが、柔らかすぎる体をコントロールするには、それ相応の苦労もある。逆にやや柔軟性には恵まれないような選手のほうが、軸はしっかりしてローテーションはよく回れるという場合も多いのだ。

柔軟性と並行して、体幹を鍛えるトレーニングも行うことがローテーションを回り切り、バランスもきっちり止まれる軸のある体作りには必須となる。体幹トレーニングは、毎日の習慣にしたいものだ。

ここがポイント！

腹筋、背筋が発達していない段階での過度な体幹トレーニングは、腰痛などの原因にもなる。まずは、ゆりかごや四つん這いなど無理なく体幹の締めを強化し、姿勢を保持するトレーニングから取り入れよう。

体幹トレーニング

腹筋と背筋をバランスよく強化する

体幹部の締めを強化

両手を頭上で組み、両足を揃え、腰を支点にして手足を浮かしたゆりかごの姿勢をとり、60～90秒持続する。

姿勢保持のトレーニング

四つん這いになり、右手と左脚を上げ10秒間キープしたら、次は左手と右脚を上げ10秒間キープする。

左右の差を意識してトレーニングする

体幹部のゆがみに注意

仰向けで立膝の姿勢から、お尻を上げてブリッジの姿勢になり、片脚を伸ばして10秒保持を両脚交互に行う。

左右で姿勢に差が出ないように

片肘を床につきもう片方の腕は上に挙げ両脚は揃えて体は一直線になるようにして、10秒保持を左右とも行う。

欠かさず続ければ無理なくコアに効くトレーニング

背中が丸まらないように

両肘を床につけ、足首はフレックスにして体が一直線になるよう意識しながら腕立て伏せの形になり、10秒間キープ。

お尻を落とさないようにキープ

腕立て伏せの形から両膝を曲げ、膝で支える形になり10秒間キープする。背中から膝までが一直線になるように注意。

ワンランク上の点数を得るためのトレーニング

ポイント 24 ゲーム感覚のトレーニングを取り入れて、コーディネーション能力を磨く

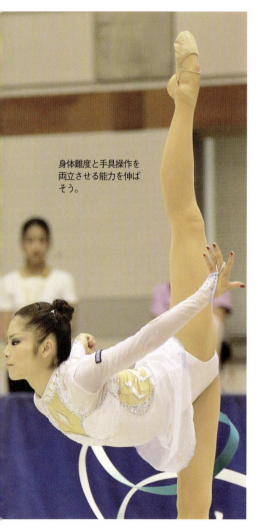

身体難度と手具操作を両立させる能力を伸ばそう。

コーディネーションには、「調整」「協調」「一致」などという意味があり、新体操で使う場合は、「動きの協調性」というような意味で使われる。「身体を思い通りに動かす力」「状況の変化に適応する力」などがコーディネーション能力にあたり、さまざまなトレーニング方法がある。

一人でトレーニングする場合は、通常行っている技術にプラスして何か負荷や刺激を与え、それに適応するという方法がある。コーディネーション能力に直結している視覚、聴覚、触覚、筋感覚、平衡器などを一時的に制限したうえで、通常行っている新体操の練習をする、という方法でも一定の効果は期待できる。

また、大人数で行うトレーニングとしては「鬼ごっこ」「大縄跳び」なども効果的だ。

ここがポイント！

新体操に求められるものが高度になってきているため、演技中は常にいくつかのことを並行して行わねばならず、コーディネーション能力の重要性は高まってきている。とくに団体選手には不可欠な能力だ。

コーディネーション能力を磨く

目を閉じてのジャグリング

クラブでのジャグリング

目を閉じてやってみる

クラブが落ちてくる感覚を感じ取り、キャッチしてみよう。最初は1回だけ、片方だけでもキャッチできれば上出来だ。

- **Check1** クラブを手から離す感覚は感じているか
- **Check2** クラブが落ちてくる感覚は感じるか
- **Check3** クラブに触れてすぐに反応できているか

バランスをとりながらの転がし

ボールの転がし

足元が不安定な状態で

ボールの転がしを、バランスマットを使い、不安定な状態にして行う。
ボールを転がすことと自分自身のバランスを保つことを同時に行うトレーニング。

- **Check1** ふらつきはないか
- **Check2** 腕はまっすぐに伸びているか
- **Check3** ふらついたとき、ボールに体を合わせられたか

違う大きさのボールを回す

指先でボールを回す

違う大きさ、素材のボールを回す

新体操のボールは指で回せても、大きさや素材が違うボールだと感覚が狂ってしまうもの。うまく調整して回してみよう。

- **Check1** 指に触れる感触はどうか
- **Check2** 回し方は同じでよいか
- **Check3** どうすれば回転をキープできるか

ワンランク上の点数を得るためのトレーニング

ポイント25 意外に難しい「まっすぐな立ち姿」をトレーニングで手に入れる！

「美しい立ち姿」は新体操の基本だ

新体操の身体難度や手具操作を習得するには、柔軟性や筋力などの強化が必要なことは誰の目にも明らかだ。さらに、ミスなく演技をするためには反復練習を行い、熟練度を上げる必要がある、それも理解できるだろう。

しかし、現実には試合でフロアマットに立っただけで、どの程度の演技をする選手かということはおおかた予想がつく。その判断基準となるのが立ち姿なのだ。

新体操では立ち姿を採点するわけではないが、「立ち姿が美しくない＝どんな演技も美しく実施はできない」と印象づけてしまうのだ。実際、それは先入観ではなく、新体操の身体難度も実施の美しさも「美しい立ち姿」が基本にある。技術の習得に比べると地味で進歩が感じられにくいかもしれないが重要な部分だ。

ここがポイント！

「美しい立ち姿」を意識して、毎日必ず立ち姿を鏡でチェックする習慣をつけよう。

はじめは窮屈に感じるかもしれないが、日が経つにつれ、その立ち方が当たり前になってくるに違いない。

「まっすぐ立つ」トレーニング

「まっすぐな立ち方」〜前から

お腹・お尻に力を入れる

つま先だけでなく膝も外を向くように

両脚は股関節から外に開くイメージでまっすぐに立ち、かかと同士をつける。このとき内ももを引き締め、足の指には均等に重心をのせる。つま先だけでなく膝もつま先と同じ外側を向くように立つ。

Check1 股関節を開くことを意識しているか
Check2 お腹を引き締め背筋は伸びているか
Check3 つま先・膝は外を向いているか

「まっすぐな立ち方」〜横から

お尻が出たり、腰が入らないように

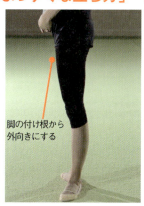
脚の付け根から外向きにする

バレエの1番ポジションのようにつま先を完全に両外側に向けて180度開くのが理想だが、無理をするとお尻が出たり、膝が曲がったり、ひねることになるので無理のない範囲で開いて立とう。

Check1 お尻が出ずに背面のラインはまっすぐか
Check2 膝はつま先と同じ向きになっているか
Check3 膝は曲がっていないか

「まっすぐに立つ」⇒プリエ

体の中心をずらさずに

膝が前に倒れないように

「まっすぐな立ち方」から、両膝を曲げて重心を落とす（バレエでいうドゥミ・プリエ）。このとき、膝が真横に出て、お尻が後ろに出なければ、まっすぐに立てていると考えてよい。

Check1 上半身はまっすぐキープできているか
Check2 曲げた膝は前に倒れていないか
Check3 お尻はかかとの真上にきているか

ワンランク上の点数を得るためのトレーニング

ポイント 26 地道なトレーニングで「伸びるつま先」と「高いかかと」を手に入れよう!

美しく伸びたつま先は新体操選手には最大の強みになる

　事前の情報や先入観がまったくない初見の選手の演技を見るとき、動き始めて数秒で「この選手、うまそうだ」と感じるときがある。そう感じさせるのは、たいていの場合、つま先がとても美しい選手、そして、かかとを高い位置でキープできている選手だ。

　一般の人にとっては、「つま先が伸びる」「かかとが高く上がる」ということには何ら価値はない。しかし、新体操においてはそれは「素晴らしい持ち物＝アドバンテージ」になる。つま先を伸ばすのも、かかとを上げるのにも甲の柔らかさが必要となるが、元来、甲は骨ばっていて硬いものだ。それを柔らかくするには、長い時間をかけて地道にトレーニングするしかない。「美しいつま先」「高いかかと」の目指す形をしっかり理解し、そこに近づく努力をし続けよう。

ここがポイント!

つま先が十分伸ばせるようになったら、その伸びるつま先を足が床から離れるたびに見せるように意識したい。バレエレッスンのタンデュをしっかり練習して、つま先で床をつかんで離す感覚を身につけよう。

つま先と甲を伸ばす

「理想のルルベ」

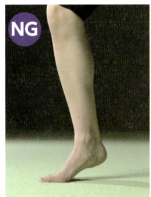

親指のつけ根に重心をかけて、足首の折れがなく甲が前に出るまでかかとを上げた状態でキープする。慣れれば中途半端な高さにかかとを浮かすよりも安定して止まることができる。

Check 1 親指のつけ根に重心がのっているか
Check 2 足首は伸びているか
Check 3 甲のカーブは出ているか

「つま先伸ばし」

「ゲタ」（つま先が上を向いている状態）ではなくまっすぐになっているというだけでは「つま先が伸びている」とは言えない。

甲が伸びしなるようにつま先までカーブするとこまで伸ばそう。

Check 1 つま先だけを曲げていないか
Check 2 足首からつま先までがまっすぐではないか
Check 3 甲のカーブは出ているか

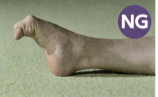

つま先を伸ばすことは大切だが、その前に脚を、股関節から外に向けることを意識しておきたい。脚が内向き（内股）のまま、つま先を伸ばすと足首が内向きにカーブした状態になってしまう。これは幼い子どもに多いので、直すように注意する。つま先を伸ばすトレーニングを行うときも、つま先は外側に向けて伸ばすように気をつけたい。外向きにつま先を伸ばせるようになると、高いルルベでの静止にも安定感が増してくる。

ワンランク上の点数を得るためのトレーニング

ポイント 27 アン・ドゥオールを意識して、膝の入った美しい脚のラインを作ろう!

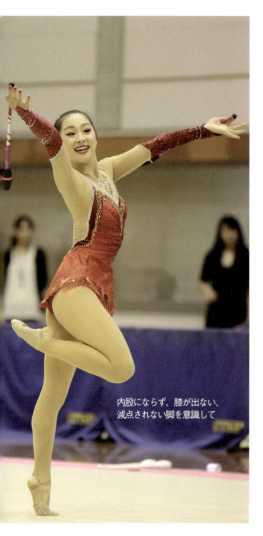

内股にならず、膝が出ない、減点されない脚を意識して

初心者のころは、なかなか脚に意識がいかず膝が曲がっていたり、つま先もゲタをはいていたりするものだが、注意されたことを覚えていられるようになってくると、「脚をきれいに」という意識を持つことはできるようになる。そうなれば、明らかに膝が曲がる、というようなことはへってくるが、それだけで「美しい脚のライン」と言えるかというとそうではない。脚は構造上、どうしても膝頭が目立ち膝が曲がっているように見えやすいため、脚のラインを美しく見せるには、やや膝が入っているのが理想となる。

また、正面から見たときに膝が真正面にあるのではなく、外を向いているほうが美しく見えるため、股関節の外旋（アン・ドゥオール）を身につけるための、バレエレッスンを取り入れるようにしたい。

ここがポイント!

「アン・ドゥオール」はバレエ用語だが、ここでは、つま先を外向きにしたとき、膝も股関節も同じように外に向く状態のことを指す。アン・ドゥオールしないでつま先だけ外を向けると膝への負担が大きく故障しやすい。

美しい脚のラインを作る

バレエレッスンを取り入れて脚のラインを整えよう

1番ポジションでまっすぐに立つ

かかとを押し出すように脚を前に出す

骨盤をまっすぐにして脚を横に出す

膝が外に向くように意識して脚を後ろに出す

バレエレッスンには多種多様な動きがあり、まんべんなく一通り行えば1時間以上かかってしまう。

そこまでバレエレッスンに時間が割けない場合、最低でも練習に取り入れたいいくつかの動きのひとつがこの「バットマン・タンデュ」だ。骨盤をまっすぐに保ち、股関節を外旋させながら、動かすほうの脚の膝を入れることを意識して行うと効果的だ。

> **!** 膝の入った脚になると、左右開脚をしたときに、かかとが床から浮くようになる。
> ここまでになれば立ったときにも膝頭が目立たず、やや膝がへこんで見えるくらいの美しい脚のラインが見えるようになる。ただし、膝を入れるために膝を上から押すなど過度の負荷をかけることは望ましくない。押すとしても継続して少しずつ行うようにして、「膝を入れる」意識をもつことで脚のラインを作るようにしよう。

ワンランク上の点数を得るためのトレーニング

ポイント 28 アイソレーションを取り入れて、なめらかな動きを手に入れる

女性らしい表現、美しい表現をするには動きのなめらかさが必要になる

2022年から適用されるルールでは、「芸術性重視」が明確に打ち出されている。身体難度（DB）や手具難度（DA）で得点をいくら稼いでも、芸術（A）で大きく減点されてしまったのでは高得点は望めない。繊細で滑らかな動きは「芸術性の高い演技」には必須だ。となると、難度以外の動きを今まで以上に磨く必要がある。

それに伴って、重要性が高まってきたのがアイソレーションだ。直線的に曲げる、伸ばすではなく、関節のひとつひとつを丁寧に動かすようなアイソレーションは、より繊細で叙情的な表現をする上で欠かせないトレーニングだ。アイソレーションに長い時間かけるのが難しい場合は、一部分ずつ何日かに分けて行ってもよい。ぜひ普段の練習に取り入れてみてほしい。

ここがポイント！

アイソレーションは、必ず音楽をかけて、音を意識しながら、ひとつひとつの動きで音をなぞるようなイメージで行おう。今の新体操に不可欠な音楽との一致、アクセントに合わせるトレーニングにもなる。

アイソレーション

アイソレーションの一例

腰を右に、上半身は左に

腰を左に、上半身は右に

腰を前に、上半身は後ろに引く

胸を前に、腰は後ろに引く

背中を丸めながら両腕は前に押すように、腰は前に出す

両腕を上に伸ばし、背中も伸ばす

左右に腕を広げ、上体を右に傾ける

体の左側をよく伸ばし、腕も肩幅にして思い切り伸ばす

体の右側をよく伸ばし、腕も肩幅にして思い切り伸ばす

すべての動きがつながって行われること、身体の部位ごとに細かく分かれて動き、ときには相反する動きをすることによって動きに深みやスケール感が出る。とくに上半身の動きを広げるのに効果的だ。必ず音楽に合わせて行おう。

! アイソレーションを行うときは、点から点へ移動する間の動きを丁寧に、自分の体のどこを動かしているのか意識しよう。ただ動きの順番を覚えてこなすだけ、では意味がないと心しよう。

ワンランク上の点数を得るためのトレーニング

ポイント29 普段の生活の中でできるトレーニングを実践しよう！

練習時間は限られているからトレーニングを工夫しよう

　現在のところ、新体操にはプロがない。したがって生活のすべての時間を新体操に費やせる人はいないはずだ。学生ならば授業もある、社会人なら仕事もある。放課後やアフター5を新体操の練習にあてるとしたら、空いている時間などほとんどないと思う。

　それでも、新体操が上達するために、何かできることはないか、という人のために普段の生活の中でできるトレーニングを紹介したい。

　トレーニングというよりも、普段の生活の中のちょっとした心がけと言ったほうがよい程度のものばかりだが、体育館での練習だけが新体操の練習ではない、と心してほしい。こういう小さな積み重ねを地道に続けられる人こそ、大きな成果を得られるものなのだ。

ここがポイント！

新体操以外のスポーツが苦手という新体操選手は案外多い。が、学生である間は学校で体育の授業もある。そこで経験するさまざまなスポーツに熱心に取り組むことも、トレーニングの一環と考えよう。

普段の生活の中でのトレーニング

生活の中に取り入れられるトレーニング

いすに座って甲出し

授業中でもランチ中でも、いすに座ったときはつま先を床に押しつけ、甲出しをする。

ペットボトルはさみ

いすに浅く腰かけ、脚の間にペットボトルをはさんでおく。内もものに筋力をつけ、引き締める効果がある。

おすまし歩き

普段からつま先と膝を伸ばし、つま先から先に出して美しく歩く。「気取っている」と言われても気にしない。

利き手ではない手で箸を使う

食事のときは、利き手ではない手で箸やスプーンを使おう。新体操では利き手ではない手での手具操作が必須なので効果的だ。

リフティング

サッカーのリフティングをやってみる。ボールに対する執着心が強くなる効果がある。

ドリブル

バスケットボールのドリブル。特別に時間をとるのではなく、学校体育の球技に積極的に参加すれば十分だ。

肩掛けのバッグは、いつも同じほうばかりにかけず交互にかけて体が歪まないようにする、正座はなるべくしない、など新体操に悪い影響が出ないように気をつけて生活することも、立派なトレーニングだ。

2022-2024ルールのポイント③

● 「投げ受け」で得点を得ることのハードルが上がる

　スリリングな投げ受けは、新体操の魅力の大きな一要素ではある。しかし、2021年までのルールでは、「大きな投げ」「大きな投げからの受け」を伴う手具難度の価値が高かったため、演技中ほとんど手具を投げては受けているという演技も少なくなかった。しかし、新しいルールでは、手具難度における「投げ」の価値は全体的に下がっている。(⇒付録参照) Rも個人競技では5回までと定められた。

　さらに、「大きな投げ（高い投げ）」の定義がかなり厳しくなり、手具を手から離す位置からさらに選手の身長の2倍以上の高さまで投げなければならない。座での投げの場合も、手具を手から離す位置から選手の身長の2倍だ。手具にもよるがこの高さを出すのはかなり厳しいうえ、従来通りの回数の投げを入れていたら演技時間が長くなってしまう。

　これも、「投げに偏らない演技をしてほしい」というメッセージのように感じる。投げ受けは新体操の一要素ではあるが、メインではない。音楽の抑揚も無視して常に投げ続けているのではなく、「この曲のこのフレーズで、この音で投げる」ことが、演技に彩りを添え、盛り上がりを演出できる、そんな投げ受けであってこそ、価値があるのだ。

　投げの高さを出すことは、難しいとは思うがそこをクリアできた選手は、その手具が空中にある時間を使って表現できるように工夫してほしいと思う。投げと受けの間にできることは回転やジャンプだけではない。情感の伝わる振りやステップがあってもいいはずだ。投げの回数を抑える分、そこにも表現を入れ込んでいく、そんな貪欲さが求められている。

Part **4**

正確な基礎を身につける！

「より高いレベルを目指したい」という気持ちはあっても、
演技の難易度を上げれば完成度が下がる、ミスが出る。
それは、基礎が固まっていないから。
より上を目指すためにも、少しでも実施減点をへらすためにも、
欠かせない手具操作の基礎を徹底解説。

正確な基礎を身につける！

ポイント30 正しくフープを持ち、正しく回せるようになる！

空間を大きく使い、スピード感も見せられるのがフープの魅力！

演技のイメージに合わせてテープなどで装飾してもよい

　フープは大きい手具なので、その動かし方で様々な表情を見せることができ、とくにダイナミックさやスピード感はおおいに印象づけることができる。まずは、基本の手での回しを正確に行えるようにすることが、より難しい操作の習得や、減点の少ない実施への早道だ。

　フープ操作の基本は、面の向きや軌道をしっかり意識すること。床に対して垂直に回す、平行に回すときは、フープの面が傾かないように意識して回すと安定した回転を得ることができる。手以外を使って回すときもその基本は変わらない。

ここがポイント！

フープを握っている状態から回し始めるときは、まず親指を立ててから残り4本の指にフープをのせるイメージで、スムーズに回し始められるように練習しよう！

手具操作の基本（フープ）

例 基本の回し方

体の側面でフープを縦に回すときは、フープを写真のように持ち、勢いをつけすぎず押し出すような感じで回し始める。フープの面が床に対して垂直な状態を保ちながら回す。

Check1 フープが下にいったとき、親指のつけ根にフープがのっているか

Check2 回転にリズムがあるか

Check3 肘を曲げずになるべく遠い位置でフープを回せているか

フープは回しているうちに、指ではなく手首や腕にずれてしまいがちだが、これは実施での減点につながる。回しの途中でフープが上腕にまで移動すると0.1の減点になる。しっかりと肘を伸ばし、常に指の間で、一定の速度を保ちながらフープが回るように心がけよう。

正確な基礎を身につける！

ポイント31 バリエーション豊富なフープの投げ受けを得意にしよう！

手や脚など、フープは投げ受けの工夫の余地が大きい手具だ

フープは大きい手具のため、投げ受けは比較的やり易いとされている。少なくとも落下はしにくく、投げ受けのバリエーションも多い。演技の幅を広げるためにも、さまざまな投げ受けに挑戦し、練習してみよう。また、フープは空中でも縦回転だけでなく水平軸で回したり、あえて回転させずに投げるなど変化もつけやすい。まずは正確な投げ受けをマスターしよう！

ここがポイント！

投げの種類によってフープの見せる表情も変わる。さらに、大きさをうまく使えば、パートナーに見立てて踊ることも。フープの持つ表現の可能性を生かした演技をしよう！

さまざまなフープの受け方

フープは大きな輪のどこかを押さえることができればキャッチできるので、受け方の種類も多く「手以外」「視野外」などのポイントもつけやすい。「伏臥での脚キャッチ」なら、大きな投げからであれば、価値点0.3のDAになる。様々な受けを練習しよう。

伏臥での両脚キャッチ

立位での片脚キャッチ

投げ受けの基本（フープ）

ひじを引き上げるように

例① 背面投げ

フープを前から後ろに回しながら、前を通るときにフープを握ると同時に膝を曲げ、フープが一番下を通ったら膝を伸ばしながらその反動を利用して投げる。背中のやや下で、あまり投げることを意識せずに手から離すイメージで。

Check 1 フープの面が床に垂直になっているか

Check 2 膝の曲げ伸ばしのタイミングはいいか

Check 3 背中でフープを離すタイミングはいいか

弧を描くように

例② 脚投げ

足首にかけたフープを、蹴り上げるように前に投げる。このとき、足首にかかっているフープの位置の真反対の部分が弧を描いて前に行くイメージで蹴り上げ、フープが水平以上の高さに来たらつま先を伸ばす。

Check 1 しっかり足首にフープがかかっているか

Check 2 フープがきちんと弧を描いているか

Check 3 つま先を伸ばすタイミングはいいか

つま先を外向きに

例③ もぐり投げ

蹴り上げるほうの脚のつま先を外側に向けフープの後ろ側に入れ、足でフープをひっかけたままもぐり回転に入り、脚が水平以上になるタイミングでつま先をしっかり伸ばして思いきりよく蹴り上げる。

Check 1 つま先を入れている位置はいいか

Check 2 つま先は外向きに入れてあるか

Check 3 つま先を伸ばすタイミングはいいか

> ！ フープのキャッチは多少乱れても落下には至らない場合が多いが、抱え込んで前腕に触れると0.1、上腕に触れると0.3実施減点になる。落とさなければいいではなく体の遠くで肘を伸ばしてキャッチしよう！

正確な基礎を身につける!

ポイント32 「ボールは絶対につかまない!」を心して操作しよう

柔らかいキャッチ、なめらかなころがしなど、ボールでは女性らしい美しさを表現できる

単色だけでなく様々な色やデザインのボールがある

ボールは「弾む」「転がる」という特徴をもった手具で、比較的扱いやすいとされる手具ではあるが、ボール操作の基本である「指に力を入れてつかまない」を遂行することは案外難しい。ボールの重さを感じながら、ボールが体にすいつくようなイメージで操作することを常に心がけよう。

基本となる転がしや投げ受けのときも、自分の体をボールに沿わせるイメージで行うと柔らかい操作ができる。

ここがポイント!

ボールは投げ受けでの変化がつけにくいので、「手以外」「視野外」などの操作や、さまざまな部位での長さのある転がしなどにも挑戦しよう。とくになめらかで正確な転がしではボール操作の巧さをアピールできる。

手具操作の基本（ボール）

例① ボールの基本①　転がし

肘を伸ばして、転がし始めのほうの腕を少し高くして指で軽くボールを押し出すようにして転がす。勢いをつけすぎずボールの重みで自然に転がるように意識し、胸はやや前に出しスムーズに転がるようにする。

Check 1 肘は曲がっていないか

Check 2 軽く指で押し出しているか

Check 3 胸は張り気味になっているか

例② ボールの基本②　8の字

はじめにボールを保持した手を体側に巻き込み、次に腕全体を体の外側に大きく回す。このとき常に手のひらが上に向いていることを意識し、腕だけでなく上半身も大きく、なめらかに動かすようにする。

Check 1 ボールをつかんだり、抱えていないか

Check 2 手のひらは常に上を向いているか

Check 3 腕が外側になってから大きく伸びているか

！転がしの練習は、両腕を前に出して、右の指先→胸→左の指先→胸→右の指先と繰り返し移動させるところから始め、このとき指先でつかまないことをしっかり意識する。**両方の手のひらを自然な形に開き、転がしは指先までしっかり転がして止める。** この基本を徹底的に繰り返すことで「つかまない」感覚を身につけよう。

正確な基礎を身につける！

ポイント 33 柔らかく誘い込むキャッチをマスターすれば、どんな投げ受けも怖くない！

投げ方のパターンは多くないので全てを得意にしよう！

簡単そうに見えてボールの操作でもっとも難しいのが「片手でキャッチすること」だ。上位選手でも本来片手で受けるべきところでつい両手が出てしまい、減点されることは少なくない。落ちてくるボールを捕るのではなく、腕を伸ばした一番高い位置でボールに触れ、そのままボールを誘い込むように腕を引く。この受け方をマスターすれば、手のひらでボールを弾いて落下することはない。

ここがポイント！

ボールの投げ受けは、腕や手のひらだけでなく、全身運動で行うことを意識しよう。膝の屈伸をうまく使えば高く投げ上げることもでき、高い位置でボールを柔らかく受け止められれば高い投げでも怖くない。

さまざまなボールの受け方

座位での脚キャッチ

立位での脚キャッチ

ボールはどの受け方のときも「跳ね返る力（＝バウンド）」をうまく吸収することが必要となる。背面で受けたり、脚でのキャッチもある。座でのキャッチはバウンドにうまく合わせて脚で押さえる、を意識して行おう。脚キャッチはタイミングがずれると脚で弾いてしまうので要注意だ。

投げ受けの基本（ボール）

例① 基本の投げ受け

腕だけでなく膝の屈伸を使った全身運動で投げるようにする。スローイングは、大きくなりすぎないように腕は引いても真下までにし、振り上げるときに肘は曲げず、体の斜め上でボールを離すように意識しよう。

Check1 膝の屈伸は使えているか

Check2 肘は伸びているか

Check3 ボールは斜め上で離せているか

例② 脚投げ

足首でボールをはさみ、投げたい方向に脚を振り上げるが、このとき脚で蹴り上げるのではなく、脚が水平以上に上がった時点でつま先を伸ばし、その反動でボールが飛ぶようなイメージで行おう。

Check1 脚を後ろに引きすぎていないか

Check2 脚が水平以上になってからつま先を伸ばしているか

Check3 つま先はきれいに伸びているか

例③ 背面投げ

ボールを背面のほぼお尻のあたりで両手で抱えた状態で、膝を屈伸する。膝を伸ばすのに合わせて、やや肘を曲げ手首を返しながらボールを投げ上げる。屈伸の伸びの力で投げることを意識しよう。

Check1 ボールは低い位置で構えているか

Check2 しっかり屈伸できているか

Check3 肘の曲げ、手首の返しはできているか

 ボールは比較的扱いやすい手具だが、落下した場合はどこまでも転がる可能性があり、大減点になるリスクもある。正確なキャッチを心がけると同時に、少々キャッチが乱れても落下は防ぐ練習もしよう！

正確な基礎を身につける!

ポイント34 クラブは握りしめず、手の中で自在に回るようにしよう!

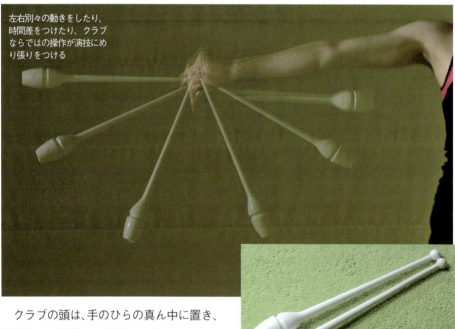

左右別々の動きをしたり、時間差をつけたり、クラブならではの操作が演技にめり張りをつける

小さな玉の部分を頭、細長い部分を首、一番大きな部分を胴体と呼ぶ。

クラブの頭は、手のひらの真ん中に置き、基本的には親指と人差指と中指ではさむようにクラブを軽く握り、腕を伸ばしたときには肩からクラブの先まで一直線になるようにする。

決して強く握りしめるのではなく、クラブの頭は手の中で回るようにしておくこと。クラブの胴体の重さを感じるように操作を行う。

ここがポイント!

クラブでは、スムーズでスピードのある風車ができると手具操作の巧さがアピールできる。まずは基本の回し方をしっかりマスターし、上、下それぞれに分けて回し方を練習しよう。

手具操作の基本（クラブ）

例① 基本の回し方

クラブを腕の上で回すときは、親指と人差指と中指とで軽くクラブを持ち、腕の下で回すときは親指と人差指、中指でクラブの頭を軽く持つ。

Check1 クラブの頭はくるくる回せるか

Check2 肘はしっかり伸びているか

Check3 肩からクラブまでが一直線になっているか

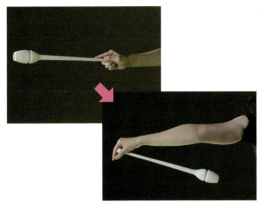

例② 非対称の動き

左手はクラブを持って上下に大きく回し、右手のクラブを腕の上側で床と水平に回す。肘を曲げないように、一定のスピードで回す。

Check1 クラブは親指と人差指ではさんでいるか

Check2 クラブの頭は回っているか

Check3 肘は曲がっていないか

GOOD

NG

クラブは頭を持つのが基本であり、首や胴体をつかむと減点になる。キャッチが乱れて一瞬、つかんでしまった場合は、即座に持ち替えて正しい位置で持つようにしよう。首を持ったままでは回す操作はできないが、回す必要がない場合でも、首を持ち続けると大きな減点にもつながってしまう。

正確な基礎を身につける！

ポイント35 変化のつけやすいクラブの投げ受けは、いろんなパターンに挑戦しよう！

時差をつけて、2本まとめて、背面で、脚で。クラブの投げは多彩だ。

クラブの投げは、2本あることによって非常にバリエーションが多く、変化がつけやすい。「2本投げ」「非対称の投げ」「滝状の投げ」「2本のクラブの非対称の小さい投げ（ジャグリング）」「脚の下からの投げ受け」など、DAに使える要素も多く、技術を磨くことで得点を上げられる可能性が高い。

慣れないうちは苦手意識を持つ人も少なくないが、努力の成果が出やすく頑張り甲斐のある手具なので積極的に取り組もう。

ここがポイント！

クラブの頭から先に上げるイメージで投げ上げると回転数が抑えられる。高い投げでも2～3回転くらいで落ちてくるようにコントロールできるとキャッチもしやすい。

さまざまなクラブの受け方

投げだけでなく受けにもクラブはかなりバリエーションがある。脚でのキャッチも立ったまま脚でクラブを床に押さえる、膝の裏ではさんでキャッチする、座で両脚の間に挟むなどがある。さらにクラブは2本あるため、片方を手でキャッチし、片方は脚で押さえるなど、左右で別々の受け方をする、という変化をつけることもできる。2本を同時に操作する難しさはあるが、工夫が楽しめる手具だと言える。

座位で床に押さえる

クラブと手首ではさむ

投げ受けの基本（クラブ）

例① 基本の投げ

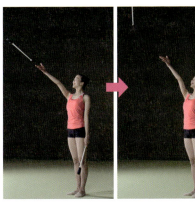

真っ直ぐに肘を伸ばして斜め上に上げた腕の延長線上にクラブがきたところで指を離すイメージで投げる。勢いよく投げ過ぎると、クラブの胴体の重みで遠心力がかかりすぎ、空中でクラブが回転しすぎるので注意しよう。

Check1 肘は曲がっていないか

Check2 クラブを離す位置はいいか

Check3 2〜3回転で落ちてきているか

例② クロス投げ

クラブのやや先のほうでクロスする

クラブの1本は頭、1本は胴体を持ち、体の前で頭を持ったほうのクラブを上にしてクロスさせる。一度真下まで腕とクラブを下げ、振り上げながら下のクラブで押し上げるように上のクラブを投げ上げる。

Check1 クロスしている位置はいいか

Check2 クラブを離す位置はいいか

Check3 肘は曲がっていないか

例③ 2本投げ

親指は後ろに向くように

中指を2本のクラブの間にはさんで持ち、親指を後ろに向ける形で斜め下に引き、クラブの重さを感じながらクラブがねじれないように、手首を返さず手の甲から前に出すように意識して斜め上に投げ上げる。

Check1 腕を後ろに振り上げすぎていないか

Check2 クラブの軌跡がねじれていないか

Check3 手首が返ってしまっていないか

! 最近はクラブをジョイントした状態での投げも増えてきている。取り入れる場合は、空中で離れないようにしっかりジョイントすることと、キャッチする際にばらけないようにつかみ方に気をつけよう！

正確な基礎を身につける！

ポイント36 スティックは必ず端を持ち、常に肘を伸ばして操作する

しっかり力の伝わったリボンの軌跡はさまざまなものを表現してくれる

単色のほかグラデーションなど模様の入ったリボンもある

リボンの操作の練習は、まず体の前でリボンを大きく振ることから始め、大きな円を描く、そしてらせん（小円を4〜5個）と進んでいく。

らせんを描くときは、スティックの先は手の甲よりもやや下にくるようにリボンを持ち、腕のつけ根や肘から回すのではなく、スティックを保持している手首で回そう。

ここがポイント！

リボンは常に動いている上に、存在感のある手具なので、操作の巧拙がはっきりとわかってしまう。巧そうに見える力のある軌跡が描けるように練習あるのみだ。

手具操作の基本（リボン）

例　エシャッペ

　右手に持ったスティックの端を外に回しながら左手のほうに小さく投げ、なるべく高いところで左手でスティックをキャッチする。キャッチと同時にリボンの端が床につかないように、スティックを後ろに振ってリボンをはらう。

Check 1 スティックをキャッチする位置はいいか
Check 2 キャッチしてすぐにスティックを振っているか
Check 3 リボンの端は床についていないか

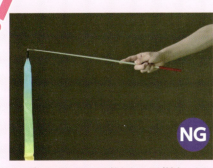

NG　　NG

　リボンのスティックは端をもつのが基本。キャッチの乱れなどで上の方をつかんでしまったときはなるべく早く持ち替えよう。リボンがからまるミスはリボンが体につくことから起きることが多い。リボンの操作は、肘を曲げずにしっかり伸ばし、体からなるべく遠くで行うようにしよう。

正確な基礎を身につける!

ポイント 37 円運動を利用して、リボンを大きく投げ上げよう!

スティックの重みを生かして投げることを意識しよう

リボンは操作の難しい手具だ。熟練度の高くない選手たちにとってはもっともミスしやすい種目とも言っていい。ましてや投げ受けとなると、投げをコントロールすることはなかなか困難なようだ。苦手意識をもってしまいがちなリボンの投げだが、スティックの重さを利用することを意識するだけでかなり道筋が見えてくる。スティックが正しい軌跡でとんでいけば、リボンも当然ついていく。難しい手具だけにひとつひとつ基礎を固めていこう。

ここがポイント!

リボンの投げはスティックの重みを生かした円運動を利用することが多い。力づくで投げるのではなく力学を利用して投げることを意識するとコントロールしやすい。

さまざまなリボンの受け方

リボンの受けは、受けたリボンをすぐにはらわなければならないため、バリエーションが多くない。手以外の受けは脚キャッチくらいだが、スティックがすり抜けたあとリボンをはさんでも落下になってしまうので確実にスティックをはさむようにしよう。

座位での脚キャッチ

投げ受けの基本（リボン）

例① 基本の投げ

スティックを小さく投げ、宙に浮いたリボンをキャッチする。そのとき、自分の体よりも後ろでキャッチし、そのつかんだところを起点にしてスティックの重みで円運動をさせ、その延長上にリボンが飛んでいくイメージで投げる。

Check1 リボンをつかむ位置はいいか

Check2 スティックは弧を描いているか

Check3 リボンを離す位置はいいか

例② 背面投げ

スティックの端を左手に持ち、右手でリボンのスティックとのジョイントに近い部分を持ちリボンが張るようにする。左手を離し、スティックを前から後ろに円運動させながら、腕を後ろに引き、右脇の下あたりでリボンを離し投げる。

Check1 スティックの端が弧を描いているか

Check2 リボンを離すタイミングはいいか

Check3 リボンを離す位置はいいか

例③ 脚投げ

リボンとスティックのジョイントあたりに左足をやや外向きにしてのせ、リボンが張る長さに調節して残りのリボンをまとめて左手に持つ。リボンの張りを保ったまま前方転回をし、足が斜め上まで上がったところでつま先を伸ばして投げる。

Check1 つま先は外向きに置いているか

Check2 リボンは十分に張っているか

Check3 つま先を伸ばす位置はいいか

 演技中、リボンに結び目ができた場合、演技の中断なくほどけば0.1、中断してしまうと0.5の減点になる。動きながら素早くリボンをほどく練習や、結び目の状況によってほどくかどうか判断する練習もしておこう。

正確な基礎を身につける！

ポイント 38 ロープの基本「張り」と「端をもつ」を常に意識して操作しよう

片端を宙に浮かす操作のときも「張り」を意識して

ロープは形が定まっていない、落下しても転がらないなど、初心者でも取り組みやすい手具である。しかし、柔らかいだけに常に操作には気を配り、ロープの特徴である「張り」を見せられるように扱わなければならず、難しい種目でもある。

大きなミスが起こりにくく、「一応ノーミス」で通すこともできやすい種目ではあるが、減点箇所は多いので、常に「張り」をもってロープを操作することを意識したい。また、ロープの特性として、演技中に「跳ぶ」ことが多いため、最後まで演技を通しきる体力も必要となってくる。

ロープは自分の身長に合った長さに切ることができる

ここがポイント！

片端をもっての操作ではロープの端、両手で両端をもって操作する場合は弧の先端の重みを感じるようにする。力づくで操作すると張りがなくなってしまうので注意！

手具操作の基本（ロープ）

例① なわとび

肘を曲げずに、ロープは手首で回すことを意識して、ロープが弧を描くように回しながら跳ぶ。はじめは、ロープの端を両手で持ち、体の前できれいな弧を描きながら左右に揺らす練習をして、ロープが張りをもって弧を描く感覚を覚えよう。

Check1 肘は曲がっていないか
Check2 ロープは弧を描いているか
Check3 跳ぶときのつま先は伸びているか

例② うちつけ

ロープの片端を右手に持ち、床上にロープを垂らした状態から、体の向きを変えながらロープの端がもっとも遠くで弧を描くように大きく回し、端を床にうちつけて跳ね返し、戻ってきた端を左手でつかむ。ロープの重さを感じながら操作するとよい。

Check1 ロープは張りをもっているか
Check2 手がロープより先にいきすぎていないか
Check3 端をキャッチするまでしっかり見ているか

!
ロープの真ん中をもって行う特別な操作を除いて、ロープは、必ず端をもって操作するのが基本だ。やむなく端ではない部分を持ってしまうことはあるだろうが、なるべく素早く端に持ち替えよう。まれに演技中にロープに結び目ができてしまうことがあるが、中断なくほどくと0.1の減点、演技を中断してほどいた場合は0.5の減点になる。常にロープに張りをもたせて操作することがこういったミスを防ぐことにもつながる。

正確な基礎を身につける!

ポイント39 ロープの特性を生かした投げ方を工夫してみよう！

ロープが宙にある瞬間も張りが見えるように意識する

ロープは2つ折りになるように投げることが多いが、それ以外にもロープの真ん中や片端だけを持ち、空中でロープを長く使う投げ方もある。2つ折りだけでなく、投げ方のバリエーションが増えると、空中でのロープの形によって表現の幅を広げることも可能になる。形が変わること、長さがあることを生かしたいろいろな投げ方に挑戦してほしい。

さまざまなロープの受け方

ロープは手で受けるだけでなく、落ちてくる勢いを生かして体の一部に巻きつかせる受けもできる。「手以外」になるだけでなく、転回やジャンプなどと組み合わせれば「視野外」になりDAにも使える受け方だ。

脚に巻きつけてキャッチ

肘側転しながら首でキャッチ

ここがポイント！

ロープの重みを感じながら、先端（長く使う場合は端、2つ折りなら折れたところ）がなるべく遠くにいくように心がけて操作すると、投げたロープにも張りが出る。

投げ受けの基本（ロープ）

例① とび越し投げ

前から後ろにロープを回しながら両脚ジャンプで跳び越した後、手を斜め上に上げて両手からロープを離し、高く投げ上げる。まず、ジャンプでしっかりロープを跳んでから投げる、と意識しないとロープに引っかかりやすいので注意が必要だ。

Check1 跳び越すときにロープは張っているか

Check2 ロープから手を離す位置はいいか

Check3 投げたロープに張りはあるか

例② 脚投げ

左手にロープの端を持ち、しっかり張る位置を外に向けた左足で踏み構える。前方転回で両手をつく瞬間に左手のロープを離し、脚の振り上げを利用して投げ上げる。脚が真上まで上がる前にロープを足から離すことを意識しよう。

Check1 構えたときロープは張っているか

Check2 ロープの端を手から離すタイミングはいいか

Check3 脚が真上にいく前にロープが足から離れているか

例③ 回し投げ

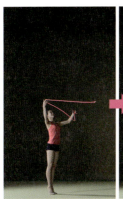

左手にロープの端を持ち、ロープが張った状態になる位置を右手で持ち、ロープを後ろから前に水平に回す。膝を屈伸しながらロープが前に来た時に、肘を伸ばして、膝の伸びとロープの回転の勢いを生かして投げる。

Check1 構えのときロープは張っているか

Check2 ロープは張りをもって水平に回せているか

Check3 投げ上げたときに肘は曲がっていないか

> 張りを持ったロープの投げは、空中でも美しく弧を描き、2つ折りの投げなら1本の棒のように見える。手元での操作だけに気をとられず、手から離れたあとのロープの形も美しく見えるように意識しよう。

2022-2024ルールのポイント④

●これから活躍しそうな身体難度（DB）

　今回のルール改正では、身体難度に関してはそれほど大きな変更はないように見える。演技中に入れる身体難度の数も最高9で変更なし、「ジャンプ」「バランス」「ローテーション」を最低1つずつのままだ。しかし、ここに「ウェイブ」を最低2個入れることが求められていることには注目せざるを得ないだろう。「ウェイブ」とは全身の波動のことである。難度表の中にもこの波動は存在するが、難度として必須というよりは、演技全体をつなぐ要素として必要な要素としてとらえたい。今までのルールでは、波動や蛇動といった、全身を動かす大きな動きが欠けていた。難度に追われ、新体操の美しさを特徴づける動きを入れる余裕がなかったからだ。新しいルールではこの波動を2個いれることとなっている。しかし、演技中に2個は波動が必要となると、どのような動きをどの程度に行えばカウントされるのか。まだ未知数な部分がある。

　あえて「ウェイブ　2個」を求めているということは、それだけ演技につながりや曲線、柔らかさをルールが求めているのだろう。まずは柔らかく滑らかな動きができる体つくりは怠らないようにしたい。

　また、新しいルールでは、「コンバイン難度」が復活している。2種類のローテーションを続けて行う、ローテーション⇒バランス、ジャンプ⇒バランスなどでそれぞれの価値点を足した点数を得ることができる。1難度とカウントされるので、高い得点を得るためには有効な身体難度だ。ただし、これらはかなりの上級者でないとカウントされるレベルで実施することは難しいうえ、ジュニア選手などは故障の原因にもなりやすい。安易に飛びつくのではなく、安全を確保したうえで少しずつチャレンジするようにしてほしい。

Part 5

演技の芸術性を高めるためにできること

2022年からのルールは、「芸術性の高い演技」を求め、
評価しようとしている。
しかし、「芸術性」とはなんなのか？　と聞かれると
答えはひとつではないだろう。
あくまでも「新体操のルールにおいて」の芸術性とはなにか？
どんな演技が「芸術性の高い演技」と評価されるのか、を解説する。

演技の芸術性を高めるためにできること

ポイント40 なぜ「芸術性」が求められるのか。「芸術性」とはなにか理解しよう

手具の動き、身体の動きが曲調とマッチし、空間の広がりも感じられる

　今回のルールからは、「芸術性をより評価し、新体操を魅力あふれるものにしたい」という国際体操連盟（FIG）の意思が強く伝わってくる。切れ目なく技が繋がってしまった2021年までの新体操が抱えた問題点をなんとか解消しようとしているように思う。

　「芸術（A）」の審判が独立して設けられ、ルールブックでも「芸術」に多くのページを割いている。「芸術」に関しては様々な要求があり、減点項目もあるが、それらを通じて実現したいのは、「テーマやストーリー性があり、音楽と一致した体や手具の動きによって観客や審判に感情や表現が伝わる演技」なのだ。ルールブックの「芸術」の項目の冒頭には「芸術の減点は要素の難易度にかかわらず平等に行う」とあり、能力や技術の高さとは別の評価軸であることが明記されている。

ここがポイント！

まだキャリアの浅い選手であれば、曲を聴いただけでテーマがわかるほうが「構成の特徴」は評価されやすい。バレエ曲や映画音楽はその点で使いやすいだろう。

「芸術性」とはなにか理解する

「芸術的欠点」では、どんな部分が評価され、減点されるのか。少し詳しく説明しよう。

①特徴的な動き
曲、手具、選手の特徴（個性）を生かした演技であるか。

②ダンスステップ
条件を満たしたステップが8秒間×2回入っているか。

③体や表情による表現
体の動きや表情によって感情を伝え、曲のアクセントを強調できているか。

④演技中の大きな変化
1つの演技中に2回、テンポや強弱などの変化があるかどうか。

⑤音楽と動き
音楽と体や手具の動きのアクセントやテンポは合っているか。

⑥投げ受けの多様性
同じ種類の投げ受けが3回以上入っていないか。

⑦フロアの使用
演技面は多様なパターンで隅々まで使用されているか。

⑧構成の統一性
ミスなどにより構成の統一性や調和が壊れてはいないか。

これらの項目について0.3、0.5、1.0の減点がされる。さらに、「論理的でないつなぎ（突然向きを変える、突然座るなど）」や「音楽のアクセントと動きのずれ」などはその都度0.1〜最大2.0減点されてしまう。

> ！「新体操がそれほどうまくなく、表現するのは恥ずかしい」という選手も中にはいるが、「うまくないならせめて表現だけでも頑張る」ほうがよいのが今のルールだ。臆せず自分らしい表現をしよう。

演技の芸術性を高めるためにできること

ポイント41 曲の意味を理解し、感情をのせた表現をする

表情と動き、手具操作でチャーミングな曲を表現している

「芸術性を重視する」ということは、「音楽を大事にする」ということとほぼ同義だと言ってもいい。いかにも新体操的な曲をBGMにして踊ればよいというものではないのだ。ルールブックにも、「音楽を選択する際は、選手の年齢、技術レベル、芸術的な質を考慮する必要がある」と記されている。

幼い選手や技術的に拙い選手を、大仰な曲、壮大な曲で踊らせるのは難しい。熟練したシニア選手なのに可愛らしい曲では幼稚に見えてしまうだろう。選手自身が「この曲で、こういう表現をしたい」という思いをもてる曲を選ぶようにしたい。

ここがポイント！

クラブ以外の手具では空いているほうの手による表現が重要になる。嬉しい、悲しい、楽しい、怖い、愛おしいなど、さまざまな感情を空き手で表現してみよう。

曲に感情をのせる

たとえばリボンでらせんをかく。腕の端から端までフープを転がす。

やっていることは同じでも、演じる人と合わせる曲、描こうとするテーマでまったく違うものに見えるのが「表現」ではないだろうか。

哀愁の漂う曲にのせて、愛する人を失った哀しみを表現するならばそのリボンの描く軌跡は哀しみをたたえて見える。ところがウキウキするような曲でパーティーが始まる高揚感を表現するのならば、同じリボンでもその軌跡は弾んでいるように見える。

フープの転がしならば、荘厳な曲で、自らの運命を受け入れる毅然とした覚悟を表現することもできれば、愛する人への深く慈しむような愛情を表現することもできるのだ。

手具の操作は同じでも、そこで表現しようとするものが違えば、合わせる曲も違ってくるし、表情や身体の動きも違ってくる（たとえば指先の形なども違うだろう）。

演技を作るとき、練習し始めたばかりのときは、どうしても「やらなければならないこと」に追われてしまう。そして、余裕が出てきたら「表現」も頑張ろうと考える選手は多い。

が、おそらくそれは逆ではないか。熟練度が上がらない間は、表情までは気を配れない、細かい表現までいき届かないということはあると思う。が、気持ちのうえでは、「まず表現したいもの」がある。それでこそ、難しい身体難度や手具操作にも感情をのせることができるのだ。表から見えるものは拙かったとしても、熟練度はいずれ上がってくる。

多くの人が踊る「カルメン」も、気持ちを伴っている演技ならばおそらく小学生でも似合って見える。が、形から入っているものでは伝わってこないのだから。

！ 手具操作は一定のスピードがないと定められた形にならないが、曲調や表現によっては可能な範囲で動かすスピードも変えて表情豊かに使う工夫もしてみよう。

演技の芸術性を高めるためにできること

ポイント42 音楽をきちんと意識してアクセントをはずさない演技をしよう

曲のアクセントによく合ったステップは演技の見どころだ

　2013年以降、ルールに登場した「ダンスステップコンビネーション」は、2022年のルール改正により、少なくとも2回（1回につき8秒）、演技に入れることになった。前のルールでは1回だったことを思うと、音楽と手具が調和した上での特徴あるステップがより求められるようになったことの象徴と言えるだろう。

　ステップはとくに音楽と合っているかどうかが分かりやすく、アクセントがずれてしまえば減点にもつながるので、ほとんどの選手が「アクセントをはずさない」ことを意識すると思うが、ステップ以外の動きでもしっかり音を拾うようにしたい。できれば演技を創作する時点で曲を十分に聞き込み、「この音で投げる」「この音でこの動き」などイメージできる部分を軸にして演技構成を考えるようにしたい。これからの新体操においては「曲がBGMになっている」は致命傷になる。

ここがポイント！

音楽を表現するためには、首やあご、肩、指先など身体のあらゆる部分をフル活用しよう。とくに顔周りをうまく使うと曲にも合った表情豊かな演技になる。

音楽のアクセントを意識する

　身体難度や手具操作は、ステップに比べると「音楽に合わせること」は難しく感じるかもしれないが、ほんの少し意識するだけで、「合っている」と印象づけることはできる。とくに目立つ投げ受けは、その前後を少し調整すれば、音の盛り上がりに合わせて投げる、ということができないだろうか。身体難度ではない小さな動きをひとつ入れることで合うのならばそれでもいいと思う。
　明らかにステップでも踏みたくなるような軽快なフレーズなのに、投げが入ってくるとせっかく刻んでいるリズムが、「リズムの無駄遣い」になってしまう。投げひとつとっても、90秒の曲の中には「ここがいい」と思えるところがあるに違いない。そういうアクセントを逃さない演技を心がけてほしいのだ。
　手具操作だけでなく、動きもそうだ。表現力豊かで音楽によく合った演技をするな、と思う選手の演技を気をつけて見ていると、ひとつひとつの動きや操作が気持ちいいくらい曲に合っているのだ。難易度の高い演技をしながらも、音を余さずに使っている。手具を投げて落ちてくるタイミングさえもおそらく計算されているのだ。
　そこまでになるには、かなりキャリアを積み、熟練度を上げていかなければならないが、今すぐにできることもある。普段の練習のときからなるべく音楽をかけることだ。それは自分の演技する曲でなくてもいい。通し練習に入る前のアップや柔軟、手具練習なども常に流れている曲を意識しながら行うことで、アクセントやリズムに合わずに動くことが気持ち悪いと感じるようになるはずだ。

> 表現を深めるためには音楽のもつ背景を知ることも助けになる。映画やドラマのサントラであればどんな場面で使われた曲か、など。まずは、自分の使う曲に関心をもつことだ。

演技の芸術性を高めるためにできること

ポイント43 大きさ、スケール感を表現できるように演技する

のびやかな動きは、勢いや活力を感じさせる

　芸術の評価の中で、ダイナミックな変化や多様性が求められている。そのため、選手は動きのエネルギー、パワー、スピード、強弱などをダイナミックに転換しなければならない。さらに、選手や手具の動きが単調にならないように、ステップの様式にも多種多様であることが求められる。当然、フロア面も隅々まで使用しなければならないが、それも外側の4辺と対角線上を端から端まで行ったり戻ったりではなく、前方、後方、側方、弧状など異なるパターンでフロア上を移動しなければならないのだ。

　しかも、高さにも変化をつけるため、立ったままだけでなく転回したり、ジャンプ、床上での回転なども駆使することになる。

ここがポイント！

身体難度の長すぎる準備動作、動きの間における不必要な停止も「つなぎ」での減点になる。動きは常にスムーズにつながっていることが必要だ。

大きさ、スケール感を表現する

上位選手の演技は、これらの条件を満たしているため、たとえ曲は静かで優雅な印象だったとしても、実際はかなりのスピードで、移動の多い演技をしている。

かなり運動量の多い演技になるので、体力的にはきついかとは思うが、それだけに見ている人にはスリリングな印象を与え、スケール感も感じさせているのだ。こういう演技をやりきるためには、身体の動きや手具操作もできることの種類を増やす練習を欠かさないと同時に、踊りきる体力をつけることが必要となる。

また、気をつけなければならないのが「つなぎ」の工夫だ。高さや方向の変化が不可欠な現在のルールだが、同時にそれを停止せずになめらかな動きの中で行うことを求めている。つまりフロアの端まで行ったからといって、ただくるりと向きを変えるのではいけないのだ。立位から座になって投げを行う場合でも、唐突に座るのではなく、手具操作や動きなど何か「つなぎ」を行いながら次の体勢をとらなければならない。これは演技の作り手にとっても難題だが、実施する選手にも難儀だろう。それでも、この「つなぎ」が悪ければ実施での減点となってしまう。

フロアいっぱい、そして空間も大きく使ったスケール感のある演技をするためにも、この「つなぎ」の重要性は上がってくる。多様なパターンに対処できるようにしておこう。

> ！ 演技開始前のポーズと演技開始にもつながりが必要となり、始まりのポーズは手具の始まりの動きと関連していなければならない。

演技の芸術性を高めるためにできること

ポイント 44 体、顔、動きすべてを使って、感情や情景、物語を表現する

競技以外の場では表現力がいかんなく発揮される

　学校の新体操部やクラブチームなどは、「演技発表会」を行うことが多い。そして、多くの発表会で競技とは別に、演技時間も長くテーマやストーリーのはっきりした作品が演じられている。衣装にも凝った、かなり見ごたえのある作品も見受けられるが、こういった競技以外の作品に取り組むことは、競技の面でもおおいに効果がある。
　審判員が目の前にいると「なりきる」「表現する」ことが難しくても、発表会という場ではできることが多いからだ。そしてその経験は必ず演技の芸術性を高めることにつながっていくのだ。

ここがポイント！
　表現が苦手な人は、日本語の歌詞のある曲で、歌詞に合った振りをすることから始めると比較的抵抗なく「表現」を経験できる。ぜひ試してみよう。

感情や情景、物語を表現する

村人たちの畏れや怒りを表現した群舞。ひとりひとりの表情にも鬼気迫るものがあり、迫力十分。動きのスピードや力強さもあるが、演者たちが負の感情を爆発させるように表現できているからこその迫力だろう。

大学の卒業を控えた4年生たちの演技。別れを惜しむような静かな曲で、柔らかい動きにはどこか寂しさをたたえている。ここまでの過程での苦悩や迷いも表現しつつ、徐々に、やりきった達成感、誇らしさが晴れやかになっていく表情から伝わってくる。

村を救うための生贄に選ばれた少女が、恐怖から我を失っていく姿を、大きな動き、激しい動きと、怯え、反抗、絶望などくるくると変わる表情で表現。新体操の基準では美しいとは言えないポーズや手足の使い方も少女の置かれた危機的状況と精神の崩壊を表現しきっている。

! 衣装をつけることによって「なりきらないほうが恥ずかしい」という気分を経験することで、表現への躊躇がなくなる効果が期待できる。

演技の芸術性を高めるためにできること

ポイント45 感情が伝わる！顔の表情のトレーニングをしよう

芸術性の高い演技のためには、顔の表情も豊かにしよう

技術は申し分なく、音楽にもよく合った演技をしているのだが、どこか物足りない。そんな演技に不足しているのはたいてい「顔の表情」だ。逆に、まだ危なっかしい演技でもいきいきした表情の演技なら魅力的に見えることもある。

それだけに、芸術性を問われる現在の新体操では、「顔の表情」も重要な要素となってくる。演技のテーマやストーリー、音楽を理解することで表情もついてくるものではあるが、普段から鏡に向かって、「表情筋」を使うトレーニングをして顔の部位を自在に動かせるようにしておくとよい。

笑顔ひとつとっても静かな笑みから爆発するような笑顔まである。感情を表現するときのもっとも大きな武器になる「顔の表情」のつけ方をトレーニングしておこう。

※表情筋とは、顔の表面にある5つの筋肉（前頭筋、眼輪筋、頬筋、口輪筋、頤筋）を指す。

ここがポイント！

笑顔を演技中に作るのが苦手という人は、まず手具操作や身体難度が成功したときの「やった！」という気持ちを素直に出して笑顔を見せることから始めてみよう。

表情のトレーニング

例① ひたむきさ ➡ 歓喜

伏し目がちで、唇もきゅっと引き締めた凛とした表情と、歯を見せて口も大きく開けて目もなくなっている弾ける笑顔では、同じ選手とは思えないほどのギャップがある。それだけ表現の幅が広いということだ。

例② 艶やか ➡ 不敵

同じ選手の同じ笑顔でも、視線が遠くにあり、あごをあげて軽く唇を開いた笑顔には女性らしい艶やかさがある。一方、ややあごを引き、口角を上げた笑顔では目でも「にやり」と笑っているように見え不敵な印象になっている。

例③ せつなさ ➡ 充足感

同じ手具、ほぼ同じポーズでも表情が違うとこれだけ印象が違う。眉間にしわを寄せてあごをあげたほうは、せつなさが漂っているが、口を大きく開いて歯を見せているほうは充足感に満ちた明るい笑顔に見える。

> 笑顔ひとつでもさまざまなように、怒りも悲しみも喜びも表情は1種類ではない。映画やドラマなどを見るときも俳優の表情を観察し参考にしよう。

演技の芸術性を高めるためにできること

ポイント 46

「表現力が乏しい」と感じたら、感情を動かすトレーニングをしよう

表現するには「感情の動き」が不可欠だ

　ぱあっと笑顔になるほど嬉しいとか、悲しくて涙がこみあげるといった感情の起伏があまりないという人もいる。じつは、表現が苦手な人にはこのタイプが少なくない。

　感情が安定しているのは悪いことではないが、表現を磨くためには、少し意識して「感情を動かす」ことを心がけよう。美しいものを見たら感動したり、いつもなら気がつかないようにしてしまう悲しい気持ちや悔しい気持ちにもしっかり向き合ってみる。自分の感情を持てあますこともあるかもしれないが、その経験は表現力を確実に向上させていく。

ここがポイント！

自分の感情に向き合うことがどうしても苦手な人は、映画やドラマ、本などで主人公の気持ちになって感情を動かすトレーニングをすることから始めよう。

感情を動かすトレーニング

竹取物語の中で、かぐや姫がおじいさんの家で共に幸せに暮らしているときの幸せそうな表情。かぐや姫がいることで華やいだおじいさんの気分、大切に育てられているかぐや姫の幸福感が伝わってくる。

自分の運命を強く拒否する少女と、その周りの村人たち。村人たちは、少女を逃がしてたまるものかというエゴが表情に現れており、少女からは戸惑いとおびえの表情が見える。感情が高ぶってくるとどちらもより緊迫した表情へと変化していく。

発表会での4年生の演技には、感謝の気持ちがあふれている。「多くの人のおかげでここまでやってこれた」という思いに裏打ちされた演技は、動きや表情のひとつひとつから「ありがとう」という思いが伝わってくる。

! 新体操の演技をするときだけ表情豊かになれ、というのは無理がある。日頃から感情を動かす、感情を開放するトレーニングをしよう。

2022-2024ルールのポイント⑤

●情報収集は誰にでもできる！　ルールの変わり目はチャンスととらえよう！

せっかく完成度が上がってきた演技を、ルール改正で手直ししなければならない。覚えていたルールもアップデートしなければならない。ルール改正のあるシーズンオフは、指導者も選手もいつもの年よりも忙しく、負担も多いと思う。が、ルール改正はある意味、大きなチャンスなのだ。とくに初年度はみんながまだ手探りだ。その中で熱意をもってルールを読み解き、多くの情報を手に入れる努力をした指導者は、いち早く新しいルールに対応して演技を作り、トレーニングも見直す。

ひと昔前なら、「ルールが変わったけど演技をどう変えればいいのかわからない」、そんな選手がほとんどだったし、指導者でさえそういう人もいた。が、今は違う。インターネットで海外の情報も瞬時に手に入る。新ルールに対応した演技の動画だってあっという間に出回るに違いない。

2022-2024ルールが求める芸術性の高い演技を実践するには、選手自身の意思があることは大きなファクターだと思う。技術レベルは高くない、キャリアの浅い選手だったとしても「できそうな難度をつないで、それらしい曲で踊ればいい」という演技では、芸術ではどんどん減点されてしまう。これからの演技では「伝えたいもの」をしっかりと持ち、選手自身の気持ちを伴って行うことが必要なのだ。

だからこそ、新ルールや新体操に関する情報は、指導者はもちろん選手自身も積極的に求めてほしいと思う。新しいルールには変更が入ることもままあるが、日本体操協会の公式サイト（⇒P127参照）では変更の情報も発信される。こまめにチェックし、こういった情報も自らキャッチして、主体的に自分の演技を創り上げる。そういった気概をもった選手にとってはルール改正は大きなチャンスなのだ。

Part 6

本番の1本で力を発揮するためにできること

「練習でどんなに成功していても本番では失敗してしまう」
それには必ず原因がある。
本番に弱い自分を変えるために、どう考え、どう行動すべきか。
本番で力を発揮できる方法を客観的、具体的に考える。

本番の1本で力を発揮するためにできること

ポイント47 「本番で緊張しすぎるのはなぜか」を客観的に理解しよう

演技に入る直前、笑顔は浮かべていても選手の緊張はピークに達している

　本番を前にして緊張するのは、当然だし程よい緊張は必要なことではある。しかし、緊張しすぎると、よいパフォーマンスができにくくなる。

　ではなぜ「緊張するのか」を考えてみると、外からと内からの2つの原因があると言われている。外因は、不慣れな会場やいつもよりたくさんの観客がいる、気候が悪いなど、コンディションへの不安だ。これを乗り越えるには、「みんな一緒」と心の中でつぶやくこと。これだけでかなりリラックスすることができるはずだ。

　内因は、自分の中にある「勝ちたい気持ち」やその裏返しの「負けたらどうしよう」という不安など。こういった感情から萎縮してしまうと、姿勢が悪くなる、動作が鈍くなる。また心拍数や血圧が上がり、筋肉が硬化するなどフィジカルにも明確に影響が出てしまうのだ。

ここがポイント！

コンディションがよくないときには、「私は悪いコンディション（たとえば雨や暑さなど）が好き！」と自分に暗示をかけてみよう。心が強くなること間違いない。

「緊張の原因」を客観的に理解する

自分の内側の原因からくる緊張感を克服するのは、容易なことではない。試合経験が浅い選手なら、緊張してくると「あきらめ」や「怒り」という感情がわいてきてしまい、心も体もコントロール不能になってしまう。次の段階に入ると「びびる」という感情をもつようになり、試合前にその「びびり」を振り払おうと必要以上にエネルギッシュに練習するようになる。びびったままで本番を迎えれば、結果的にはミスが出てしまうだろうが、こういう経験を重ねることで、次に「よし、やってやろう！」と挑戦する気持ちになれるのだ。

演技に入る前に、思い切り笑顔を作ってみると、明るい気持ちになれる。

演技中の静止しているときは気持ちを落ち着かせるチャンス

「緊張しすぎて失敗する」という経験は決して悪いことではない。それは、次に繋がる失敗なのだから。トップ選手になると、「プレッシャーを感じることが楽しい」と言う選手もいるが、それも数多くの失敗を経てきたからこそ言えることなのだ。

まずは、自分の緊張がどこからきているのかをしっかり見つめよう。外因なのか内因なのか。そこを理解することが克服への第一歩になる。

「びびる」ことを経験しなければ、挑戦する気持ちにはたどりつけない。「びびる」ようになった自分は、あきらめていた時期よりはずっと成長しているのだとプラスにとらえよう。

本番の1本で力を発揮するためにできること

ポイント48 「いつも通り」の精神状態を保つためのルーティンを決めておこう!

選手それぞれに気持ちを落ち着ける方法を持っている

他競技でも話題になった「ルーティン」。本番前に「これをやると落ち着く」という決まった行動やアクションのことだが、これは新体操においてもかなり有効で、多くの選手たちが実践している。

「本番のフロアに入る前に口をあいうえおの形に3回動かす」「直前まで使っていたタオルを決まった折りたたみ方でコーチに手渡す」「試合の前日の夜は、手具といっしょに寝る」「試合の日は好きなお菓子を食べる」「試合会場の観客席からフロアをながめてノーミスで演技している自分をイメージする」「試合期間は食事を変えない」「フロアに入る前にあくびをする」など、いろいろな儀式を選手ごとに行っている。気持ちは行動によってある程度、コントロールできるもの。自分を平常心に保つために有効な行動を探してみよう。

ここがポイント!

自信満々に見えるトップ選手のしぐさや行動、言葉などをまねしてみると、気持ちも近づいていく効果がある。まずは形から入ってみるのもよいだろう。

ルーティンを決めておく

「肉体はリラックス、精神は集中」状態が理想

　メンタルトレーニングには様々な方法があり、日本体操協会発行の「新体操教本」でも項目を設けてふれている。ここではその一部分を紹介したい。

　まずは、1日1回15分ほどでできるリラックスのトレーニング（IRT）で、仰向けに寝て静かに目を閉じ、足→ふくらはぎ→太もも→お尻→お腹→胸→肩→上腕→前腕→手を握り締める→首から顔面まで全身硬直（最後は顔もくちゃくちゃにする）の順に体に力を入れていき、5秒キープしたあと、一気に全身の力を抜き30秒ほどリラックス。これを3回繰り返す。

　このトレーニングを行ったあと、鎮静呼吸法といういわゆる深呼吸のような呼吸法でさらにリラックスし、その後、「集中」→「イメージリハーサル」と進めていくものだ。これを朝や練習や試合の前など、毎日行うことでメンタルをコントロールする力がついていくという。メンタル面に不安のある人はぜひこういったトレーニングを取り入れてみよう。

！ 曲をかけてのイメージトレーニングは非常に有効だが、最後に「大丈夫。絶対うまくいく」とポジティブな言葉を自分にかけることで、自信や集中を高めることができる。

本番の1本で力を発揮するためにできること

ポイント 49 ミスが起きてしまったときの気持ちの切り替え方を覚えよう

ミスしたときこそ、笑顔を見せて。気持ちを上げていこう！

　現在の新体操は非常に高度化しているため、トップ選手でも100％予定通りに完璧な演技ができることはめったにない。落下などわかりやすいミスはなかったとしても、実施では減点されるような細かいミスは少なからずあるはずだ。

　それでも、トップ選手たちの演技は、堂々としていてまるで完璧だったように見える。それはもちろん、狂いが生じたときの対処方法にも長けているせいもあるが、なによりも「ミスを引きずらない」だけの精神力を彼女たちがもっているからと言える。

　技術が拙い選手ほど、ミスも犯しやすいうえ、ミスしたときに表情がくもったり、視線が下を向き、動きが小さくなるなど、一気にパフォーマンスが落ちてしまう。結果、ミスによる減点だけではすまなくなってしまうのだ。

ここがポイント！

　演技中には、練習で注意されることを常に口に出しながら演技するという選手もいる。余計なことを考える隙を自分に与えないための一つの方法と言えるだろう。

気持ちの切り替え方

　本番で起きてしまったミスを悔やんだり、「また同じミスをするのではないか」と恐れるのは演技を終えてからでいい。たった90秒の演技時間中には、今、目の前でやるべきこと以外には何も考える必要はないのだ。

　ミスが起きたとしても、そのことはすぐに忘れ、次の演技に進む。中には、ミスした瞬間に「次は大丈夫！」といわば厄落とししたような受け止め方をするという選手もいる。そうすれば、その後の演技はよりのびのびと思い切ってできるのだと言う。

　起きてしまったミスを、演技中に悔やんでも何のプラスにもならない。そのことだけは覚えておいてほしい。ミスを引きずりやすい選手は、「ミスを怖がりすぎている」とも言える。「ノーミス」を求めすぎるせいで1つのミスを大きく受け止めすぎるのだ。

　ノーミスを目指して練習するのはもちろんだが、「それでもミスは出てしまうもの」くらいの気持ちで本番に向かうことも必要だ。

ミスは出ても、引きずらない！
瞬時に忘れることが大事。

!「絶対にミスしないような演技」に甘んじていては、向上はない。ミスの危険もある演技に挑戦できるのは成長している証だととらえ、ミスを恐れすぎないようにしよう。

117

本番の1本で力を発揮するためにできること

「新体操をやっていることが嬉しい、楽しい」という気持ちを忘れない

ポイント 50

開放感と感謝の気持ちに満ちた引退演技はたいてい素晴らしい出来だ

本番で力を発揮できなかったり、ミスを引きずってしまうとき、選手のメンタルには余計な負荷がかかっている。純粋に新体操のことだけを考えていれば、今回失敗しても次に頑張ればすむことだ。しかし、たとえば指導者や親から怒られる、仲間からどう思われるか、などに気持ちが押しつぶされてしまえば、試合に向けて「やってやろう!」という前向きな気持ちよりも、失敗したときの悪いイメージのほうが勝ってしまうのだ。その結果、大事な試合の前になると、逃げ出したい気分になってしまう選手も少なくない。

ここがポイント!

仲間や観客は、「全員が自分を応援してくれている」と思い込むくらいでちょうどよい。仮に失敗を願っているような人がいたとしても、本番前にそんなマイナスの感情を受け止める必要はないのだ。

楽しむ気持ちを忘れない

そんなときに有効なのが、自分はなぜ新体操をやっているのか、を思い出すことだ。おそらく、ほとんどの選手が「好きだから」やっていると思う。はじめは親の勧めだったという人でも、好きだったから続けてきたはずだ。よい演技ができて、指導者や親が喜んでくれれば嬉しいには違いないが、なにもそのために新体操をやっているわけではない。

自分の新体操は自分のためにやっているのだということ。新体操は楽しいからやっているのだということ。「失敗するかもしれない」という緊張感さえも、本来なら楽しいことなのだということ（そんな経験は他ではできないのだから）。そんなことを改めて思い出してみよう。

そうすれば、試合前に襲ってくる不安や恐怖の多くが解消されるはずだ。フロアに立って演技できること、審判や観客に演技を見てもらえること。それ自体が楽しくて、嬉しいことだと思えれば、穏やかな気持ちでのびのびと演技でき、そんなときは案外ミスは起こらないものなのだ。

発表会、演技会などで選手達が見せる笑顔には「新体操の楽しさ」があふれている

演技する側が歓びをもって演技していることは必ず見る側には伝わる

演技している時間の貴重さを感じられれば、自然と力は発揮できるものだ

> ずっと勝ち続けていた選手でも、「ここでは絶対に負けられない！」という試合のときだけ大崩れすることがある。プレッシャーがきついときほど、自分が好きで新体操をやっていることを思い出そう！

新体操は、続けることに価値がある!

　最近は、アイドルやタレントにも「新体操経験者」が増えてきている。ダンスやチアリーディングなどで活躍している人の中にも、もともとは新体操をやっていたという人もかなりいる。新体操経験のあるアイドルがテレビ番組やライブで、柔軟性を披露したりすると、周囲のタレントやファンは「すごい!」と絶賛するが、おそらく新体操をやっている人から見れば、ごく普通程度にしか見えないだろう。

　つまりそれだけ、「普通はできないこと」をやっているのが新体操なのだ。となれば、そうそう簡単に高い点数がとれるようになったり、トップレベルの選手になれるものではない。ごくひと握りの選手以外は、地元の大会での順位が去年より今年は少し上がればいいな、がせいぜいというのが現実といえばそうだ。

　現代は少子化が進んでいるため、親は数少ないわが子に期待をかけがちだ。いくつかの習いごとの中から新体操を選び、時間を費やすようになると、「うちの子は、新体操でモノになるかどうか?」と気にする親も少なくない。「モノになる」とは何を指しているのだろう。それがもしも「五輪選手になる」「トップ選手になる」なのだとしたら、残念ながらほとんどの子はモノにはならない。

　五輪の中継などを見てもらえばわかるが、今、日本を代表して世界に出ていく選手たちは、まず「日本人離れしたスタイル」が必須となっている。その時点で、ほとんどの子は、「五輪選手に」なんて夢は見られないのが現状だ。

　しかし、それでも、新体操人口は決して減ってはいない。とくに10数年前までは、少なかったシニア選手(高校生以上の選手)は、着実に増えてきている。それはおそらく、この新体操という競技が、続ければ続けるほど、面白みが増し、自分の到達点を高めていくことができるスポーツだからだろう。

　人と比較すれば、決して1番ではないとしても。もちろん、五

輪を夢見ることなんてできないとしても。1年前の自分、5年前の自分と比べてみれば、間違いなくできることが増え、熟練度が増し、とくにシニア以降になれば表現力が顕著に伸びる。親が見ても、「これがうちの子？」とまぶしく、誇らしく思える演技を見せてくれることもきっとある。

　そこまで新体操を続けていれば、わが子が幼いころに「新体操でモノになるかどうか」などと気にしていたことなんて、親も忘れている。新体操に限らず、子どもが幼いころに夢中になっていたことでモノになる確率は、とてつもなく低いのだ。ピアノを頑張っていた子も、バレエを頑張っていた子も、サッカーで頑張っていた子も、ほとんどがその道でプロになることはない。

　あとに残るのは、打ち込んできた時期に得た技術、頑張り続けられる粘り強さ、そして、自分なりのゴールまでやり遂げられた場合には、達成感。それは、輝かしい栄誉ではなかったとしても、人生においてはなによりの財産だ。

　だから、新体操を始めた人にはぜひ、自分で納得できるところまでは続けてほしいと思う。親御さんや指導者も「続けたい気持ち」を阻害しない応援の仕方をしてほしいと思う。頑張っている選手たちは、ときには落胆し、絶望し、辞めたいと思うこともあるだろうが、続けていればきっといいことがある！　と信じて支えてほしい。

　SEAMOというラッパーの「Continue」という曲がある。その中に、「どんな夢でもかなえる魔法　それは続けること」というフレーズがある。まさにその通りと、長く新体操を続けてきた選手たちの演技を見ていると思う。どんな選手でも、かけてきた時間の分だけ、輝きを増した演技を見せられるようになる。そう信じて、今できる努力をしてほしい。あなたは、この素晴らしいスポーツに出会ったのだから。

> 付録
「2022-2024ルールでは何が重視されるのか？」

●「2017-2021ルール」の功罪

　リオ五輪後に行われたルール改正で「手具難度（AD）」が評価されるようになり、2018年のルール見直しでそれまでは10点以上は切り捨てだったD得点が上限なしになった。そうなると、新体操選手の対応力は凄まじく、ほとんどの選手が、個人競技なら90秒しかない演技時間の中に、これでもかとADを詰め込んでくるようになった。結果、2021年全日本選手権で優勝した山田愛乃選手がもっとも高得点を得たクラブでのD得点は15.800だった。2018年全日本選手権で個人優勝したときの喜田純鈴選手でもクラブのD得点は9.900だったことを思うと、この3年間でのD得点の爆上がりぶりがわかるかと思う。

　このルールのもとで、選手たちの手具操作能力の向上は顕著だった。が、その弊害として新体操が本来もっていたはずの「美しさ」や「芸術性」がかなり犠牲になってしまったという声は年々強まっていた。

　フィギュアスケートに例えるならば、みんながトリプルアクセルや4回転の高難度ジャンプを隙間なく跳んでいるような状態だ。スパイラルやスピンにワクワクし、滑らかなスケーティングを堪能することもできないジャンプ大会のようなフィギュアスケートだったら、今のように多くのファンを獲得できただろうか。観客は、「凄い」とは思っても、その演技から何かを感じ、感動することはないだろう。演技時間中ずっとリスクのある技がつまっていれば、せっかく音楽を使っていても、選手たちには曲を感じ、表現する余裕もないのだから。

　「新体操本来の美しさや芸術性を取り戻す」

　2022-2024ルールには、国際体操連盟のそんな決意が見える。

●「芸術」と「実施」の審判が分かれる

　前のルールでは、D審判が4名、E審判は6名中2名が芸術、4名が10点満点からの減点法で技術の採点を行っていた。今回のルールからは、D審判は4名と変わらないが、「芸術」の審判が4名、「実施」の審判が4名となる。D得点には上限はなく、「芸術」「実施」はそれぞれ10点満点から減点する。「芸術」に関してはいちだんと細かく減点項目も設けられ、演技が

「音楽を BGM にした技の羅列」ではいけないことが徹底される。

●新体操の特徴を生かした演技が求められる

「手具難度（DA と呼び名が変わる）」は、「ベース＋基準」で 0.2 〜 0.4 の得点を得られる。そして、今までは制限のなかった回数に「1 演技中 DA20 個まで」という制限が設けられた。この制限によって、演技に隙間なく DA が入っているという状況からは脱することができそうだ。

さらに、DA の価値点はベースによって決まるが、今までは投げ受けのベースが高得点になっていたのに対し、新しいルールでは、「長い転がし」やボールなら「片手キャッチ」、またはクラブの「風車」やリボンの「らせん」「ブーメラン」など各手具の特徴を生かし、新体操ならではの良さが感じられる技術をベースとした DA に高い得点が与えられるようになった。（各手具の DA のベースと基準の一覧を参照）

回転系の要素やプレアクロバットなど、同じものを繰り返し使うこともかなり厳しく制限されるため、演技を考えるのは大変になるかもしれないが、得点を稼ぐために安易に R や DA を増やすことの抑制にはなりそうだ。

また、演技中に入れることが要求されている「基礎手具技術要素」でも、前のルールでは演技中に 1 回でよかったものが、今年からは 2 回必要になった技術がある。フープでは「転がし」と「軸回し」、ボールの「転がし」と「八の字」、クラブは「風

車」と「2 本の小さな同時投げ」、リボンの「蛇形」と「らせん」などだ。これも各手具の特徴が生かされた技術をより多く演技に取り入れることが求められていることの表れだろう。

●「大きな投げ（高い投げ）」の見極めが厳しくなる。

個人でも団体でも、「高い投げ」には、選手の身長の 2 倍の高さを超えることが必要となった。たとえば身長 160 センチの選手なら 320 センチの高さが必要だが、その起点は床ではなく、手具を手から離す位置だ。座で投げる場合も、起点は同じなのでかなりの高さが必要だ。これだけ高く投げるとなると時間もかかるので、高い投げを使う DA や R の回数はおのずと抑え気味になってきそうだ。

●「2022-2024 ルール」のもとで何を大切にするべきか。

ジュニア選手たちや中体連の大会を目標にしているような選手たちなら、ルールが変わったからと言ってことさらに、何かを

変える必要はない。新たに必要になった要素の不足はないか確認し、手直しする程度でよいのだ。今回のルールからは「コンバイン難度」という1つで高い得点になる身体難度も入ってきているが、そういうものにとびつく必要もない。

むしろ、今回のルールから「芸術」10点、「実施」10点となったE得点での減点を少しでも減らせるように、体づくりをし、正しいフォームを身につけることを心がけてほしい。身体難度も手具難度も、演技中の動きすべてにおいて「質の高さ」を求めていきたいものだ。

また、「技術が高くないから表現までは至らない」と思っている人が少なくないが、「芸術」での評価が大きくなった今のルールでは、たとえ技術が伴わなくても「表現したいもの」をもって演技を作り、演じることは必須になる。できる難度をつないで後ろに音楽が流れているだけ、にならないためにも、選んだ曲に合った演技、構成作りにトライしよう。演技は先生に作ってもらう場合でも、ただ与えられたものをやるのではなく、使用曲を自分はどう感じているのか、どう表現したいのかなどを考え、振付をしてくださる先生との共同作業で演技を作れるとよいと思う。

今回のルールは、技術や能力のレベルにかかわらず、選手達みんなが新体操を通して表現する喜びを感じられることを望んでいる。そして、その先でこそ、観ている人にとっても楽しい、魅力的な新体操が体現できるのだと思う。

[参考]

▼フープのDA（ベース1＋基準2、またはベース2＋基準1でベースのひとつが必ず高い投げからの受けで成立）

ベース	価値点	基準						
		視野外	手以外	脚の下	回転中	座	波動	DB
大きな2部位の転がし	0.40	○	○	○	○	○	○	○
軸回し	0.30	○	○	○	○	○	○	○
手や体の周りでの回し	0.20	○	×	○	○	○	○	○
くぐりぬけ	0.20	○	○	○	○	○	○	○
床上での転がし	0.20	○	○	×	○	×	○	○
床上での軸回転	0.20	○	○	○	○	○	○	○
体の一部か全部が手具の上を超える	0.20	○	×	×	○	×	○	○
手を使わずに手具を持ち替える	0.20	○	×	×	○	○	○	○
体の上を滑らせる	0.20	○	○	○	○	○	○	○
小さな投げ	0.20	○	○	○	○	○	○	○
大きな投げ	0.20	○	○	○	○	○	○	○
軸を中心に回転する大きな投げ	0.30	○	○	○	○	○	○	○
大きな投げの受け	0.30	○	○	○	○	○	○	○
大きな投げを床でバウンドさせて受ける	0.30	○	○	○	○	○	○	○

▼ボールのDA（ベース1＋基準2、またはベース2＋基準1でベースのひとつが必ず高い投げからの受けで成立）

ベース	価値点	基準						
		視野外	手以外	脚の下	回転中	座	波動	DB
大きな2部位の転がし	0.40	○	○	○	○	○	○	○
大きな投げの片手受け	0.40	○	×	○	○	○	○	○
床での大きな突き	0.20	○	○	○	○	○	○	○
膝下での小さな突き（3回）	0.20	○	○	○	○	○	○	○
八の字	0.20	×	×	○	○	○	○	○
体の一部の上での回し	0.20	○	×	○	○	○	○	○
手を使わずに手具を持ち替える	0.20	○	×	○	○	○	○	○
不安定なバランス	0.20	○	×	○	○	○	○	○
小さな投げ受け	0.20	○	○	○	○	○	○	○
大きな投げ	0.20	○	○	○	○	○	○	○
大きな投げの受け	0.30	○	○	○	○	○	○	○
大きな投げを床でバウンドさせて受ける	0.30	○	○	○	○	○	○	○
大きな投げを床でバウンドさせて受ける	0.30	○	○	○	○	○	○	○

▼クラブのDA（ベース1＋基準2、またはベース2＋基準1でベースのひとつが必ず高い投げからの受けで成立）

ベース	価値点	基準						
		視野外	手以外	脚の下	回転中	座	波動	DB
風車	0.30	○	×	○	○	○	○	○
2本のクラブの小さな投げ	0.30	○	○	○	○	○	○	○
2本のクラブによる非対称の動き	0.20	○	×	○	○	○	○	○
2本のクラブによる小円	0.20	○	×	○	○	○	○	○
つなげた2本のクラブの小さな投げ	0.20	○	○	○	○	○	○	○
体の2部位の転がし	0.30	○	○	○	×	○	○	○
1本あるいは2本のクラブによる体の上での自由回転	0.20	○	○	○	○	○	○	○
1本あるいは2本のクラブによる体の上か床上での転がし	0.20	○	○	○	○	○	○	○
手を使わずに手具を持ち替える	0.20	○	×	×	○	○	○	○
不安定なバランス	0.20	○	×	○	○	○	○	○
体の上でクラブを滑らせる	0.20	○	○	○	○	○	○	○
小さな投げ受け	0.20	○	○	○	○	○	○	○
大きな投げ	0.20	○	○	○	○	○	○	○
大きな2本投げ	0.30	○	○	○	○	○	○	○
大きな投げの受け	0.30	○	○	○	○	○	○	○
滝状の投げ受け	0.40	○	×	○	○	○	○	○
大きな2本投げの受け	0.40	○	○	○	○	○	○	○

▼リボンのDA（ベース1＋基準2、またはベース2＋基準1でベースのひとつが必ず高い投げからの受けで成立）

ベース	価値点	基準						
		視野外	手以外	脚の下	回転中	座	波動	DB
らせん	0.30	○	○	○	○	○	○	○
蛇形	0.30	○	○	○	○	○	○	○
ブーメラン	0.30	○	○	○	○	○	○	○
エシャッペ	0.20	○	○	○	○	○	○	○
体の2部位の転がし	0.30	○	○	○	×	○	○	○
くぐりぬけ	0.30	○	×	○	○	○	○	○
回転を伴う難度中に首、膝、肘などで保持されているスティックを操作して体の周りでリボンを動かす	0.20	○	○	×	×	○	○	○
大きい、または中くらいの円を描く	0.20	○	×	×	○	○	○	○
手を使わずに手具を持ち替える	0.20	○	×	○	○	○	○	○
体の一部でのスティックの転がし	0.20	○	○	○	×	○	○	○
小さな投げ受け	0.20	○	○	○	○	○	○	○
大きな投げ	0.20	○	○	○	○	○	○	○
床上を滑らせてからの大きな投げ	0.30	○	○	○	○	○	○	○
大きな投げの受け	0.30	○	○	○	○	○	○	○

おわりに

　この本を手にとってくださったあなたは、きっと新体操が大好きで、向上心でいっぱい！　なのだと思います。

　日々更新される新体操の最新情報を常にキャッチすべく、アンテナを高くしておくことも上達の秘訣とも言えます。

　この先、あなたが「もっと新体操のことを知りたい！」と思ったとき、または試合に出ることになったとき、きっとあなたの支えになってくれるサポーターたちを最後に紹介しておきます。

　そして、この本もまたあなたの新体操選手としての成長を少しでもお手伝いできたなら、こんなに嬉しいことはありません。

あなたの上達を支えるサポーターを見つけよう

新体操教本（2017年版）

日本体操協会コーチ育成委員会制作。新体操の歴史からスポーツ栄養学、コンディショニング、メンタルトレーニング等。分野ごとのプロが執筆を担当。指導者向けではあるが参考になる。（日本体操協会HPに購入方法あり）

新体操採点規則（2022-2024年）

FIG（国際体操連盟）による2022-2024年の採点規則の日本語版。審判資格はなくても購入は可能。新体操のルールを知るためには手元に置いておきたい。（日本体操協会HPに購入方法あり）

FIG年齢別育成・競技プログラム

　FIG（国際体操連盟）によって、若い選手達の身体的・精神的発達を尊重するやり方を念頭において開発され、2019年1月に発行された。年齢別、目的別の必須要素や技術習得一覧表、身体能力テストプログラムなどが提示されている。（日本体操協会HPに購入方法あり）

日本体操協会公式サイト
http://www.jpn-gym.or.jp/

大会情報、大会結果、大会レポートなど。日本体操協会主催の大会、日本体操協会から選手を派遣している国際試合の情報を得ることができる。現在の日本の新体操の中枢の情報はこちらで。「協会販売物一覧」には、採点規則や新体操教本のほか大会DVDなどの販売情報もあるので要チェック。

日本新体操連盟公式サイト
https://www.japan-rg.com/

日本新体操連盟主催大会の情報、大会結果など。日本新体操連盟登録団体のリストもあり、居住地の近くの新体操クラブを問い合わせることもできる。日本全国から多くのエントリーがあるクラブ選手権、クラブ団体選手権、クラブチャイルド選手権の情報はこちらでチェック。連盟主催大会のDVD販売も行っている。

ササキスポーツ オンラインショップ
http://www.sasakisports-onlineshop.jp/

日本における新体操用品のパイオニア「SASAKI」は、国内唯一の体操・新体操専門メーカー。海外のトップ選手たちにも愛用者が多い。グラデーションリボンなどオリジナリティのある手具や、レオタード、ハーフシューズ、トレーニングウェアのほか、新体操グッズの持ち運びに特化したトートバッグ、リュックまで。新体操に必要な物はウェアからグッズまでなんでも揃う。

チャコットオンラインショップ
https://shop.chacott.co.jp/rg/

練習用レオタード、大会用レオタード、ハーフシューズ、手具、ボディファンデーション、トレーニングウェア、トレーニンググッズ、雑貨など、新体操に必要なものはなんでもそろう。グラデーションや柄物のリボンやクラブなど手具はデザイン性と機能性に富んでおり、バッグや手具ケースなどもセンスのいいものが多い。ステージ用のメイク用品も充実。

協力

監修者 ◆ 日本女子体育大学准教授　橋爪みすず

協　力 ◆ 日本女子体育大学新体操部監督　木皿久美子

　　　　日本女子体育大学コーチ　高橋弥生・中澤歩・清水花菜

モデル ◆ 日本女子体育大学新体操部

　　　　畠山愛理・前田彩伽・志村ももか・紀平萌・溝口茉由・石井乃愛・日高桃子・

　　　　中井沙季・三沢真希・矢﨑ほの香・谷亜以那・足立明穂・三澤奈々・國田真由・

　　　　七尾真結・猪又涼子・清澤毬乃・五十嵐遥菜・関谷友香・植松桃加・中村花・

　　　　柴山瑠莉子・井出口真子・高野里香

Staff

制作プロデュース ◆ 有限会社イー・プランニング

構成・執筆 ◆ 椎名桂子

撮影 ◆ 末松正義

写真提供 ◆ 清水綾子　岡本範和　松田優　末永裕樹

デザイン・DTP ◆ 株式会社ダイアートプランニング　山本史子

技術と表現を磨く！魅せる新体操
上達のポイント50　改訂版

2022年2月25日　　第1版・第1刷発行

監修者　橋爪　みすず　（はしづめ　みすず）
発行者　株式会社メイツユニバーサルコンテンツ
　　　　代表者　三渡　治
　　　　〒102-0093 東京都千代田区平河町一丁目1-8
印刷　　株式会社厚徳社

◎『メイツ出版』は当社の商標です。

●本書の一部、あるいは全部を無断でコピーすることは、法律で認められた場合を除き、
　著作権の侵害となりますので禁止します。
●定価はカバーに表示してあります。
© イー・プランニング,2017,2022.ISBN978-4-7804-2581-9 C2075 Printed in Japan.

ご意見・ご感想はホームページから承っております
ウェブサイト　https://www.mates-publishing.co.jp/

編集長：堀明研斗　企画担当：堀明研斗

※本書は2017年発行の『技術と表現を磨く!魅せる新体操　上達のポイント50』を元に、一部内容
の更新・変更と、必要な修正を行い新たに発行したものです。